Le monde délirant d'Ally

9. Nains de jardin, téloche et grosse pétoche

Dans la même série

Le monde délirant d'Ally

1. Une fille méga, giga... extra !

2. Petit ami + petite amie = gros, gros soucis

3. Amour, racket et sales manies

4. Copain, faux copain et secrets très secrets

5. Garçons, frangins et danse du ventre

6. Frangines, gros nuls et chansons ringardes

7. Bamboulas, petit chat et grosses catas

8. Tatouages, tortue et têtes à claques

10. Mystère, mariage et maxi mini surprise

Pour l'édition française :
© 2004, Éditions Milan, pour le texte
ISBN : 2-7459-1333-6

Karen McCombie

Le monde
délirant d'Ally

9. Nains de jardin,
téloche et grosse pétoche

Traduit de l'anglais
par Amélie Sarn-Cantin

LES ROMANS DE
julie

À Maud, pour ses « conseils techniques ».
A. S.-C.

PROLOGUE

Chère Maman,

Je ne veux pas t'inquiéter mais le cerveau de Rowan semble avoir fondu au soleil. (Remarque, à mon avis, personne ne remarquera la différence.)

Il faisait si chaud aujourd'hui qu'elle a trouvé un excellent moyen de se rafraîchir : faire des glaçons. Évidemment, ça ne l'intéressait pas d'utiliser de l'eau comme tout le monde. Beaucoup trop simple pour elle. Au moment même où je t'écris, elle est allongée dans la chaise longue du jardin et suce de la crème anglaise congelée ! Tout en râlant après Tor et moi qui avons refusé de l'imiter et qui, selon elle, « n'apprécions pas ses efforts à leur juste valeur ». Désolée, mais je préfèrerais encore me rafraîchir en m'aspergeant le visage avec l'eau de la gamelle du chien !*

* J'ai surpris Tor en train de le faire tout à l'heure… S'asperger le visage avec l'eau du chien. Après avoir couru sur la pelouse à en perdre haleine, Tor, Rolf et Winslet sont maintenant affalés sous les arbres et forment une masse pantelante mi-canine, mi-humaine. À mon avis, cet enfant ne va pas tarder à aboyer et à renifler les lampadaires…

À propos de chien, nous sommes tous tombés amoureux de l'épagneul que l'on aperçoit au deuxième plan de la photo que tu nous as envoyée de Dallas, au Texas. Nous l'avons reçue ce matin. Est-ce que tu l'avais remarqué ? Il ressemble à une serpillière trempée ! Si tu ne l'as pas vu, tu as au moins dû te faire asperger : il sort de la mer et s'ébroue comme un fou à quelques centimètres de toi.

D'ailleurs, il y a deux détails étranges sur cette photo : 1) ce chien est quasiment identique à celui qui était en train de détruire un château de sable sur la photo que tu nous as envoyée d'Hawaï, il y a quelques mois et 2) en allant mettre une nouvelle épingle sur ma mappemonde, je me suis rendu compte qu'il n'y a pas de plage au Texas !

Mais bon, deux bizarreries de plus, ça semble presque normal en ce moment. Il n'y a eu que ça ces derniers temps ! Je ferais mieux de tout te raconter. Assieds-toi confortablement, Maman, où que tu sois. Je commence.

Je t'aime très fort,

Ally

(ton enfant de l'amour n° 3)

CHAPITRE 1

BIZARRE ET MERVEILLEUX (ENFIN, PRESQUE MERVEILLEUX)

— Aïe ! ai-je grogné.

Un cactus sournois venait de s'attaquer à ma jambe nue. J'ai reculé précipitamment et j'ai senti un truc mou contre mon épaule. J'ai prudemment tourné la tête et j'ai vu une goutte rouge dégouliner le long de mon bras et s'écraser, splitch ! sur mon short en jean.

J'ai d'abord cru que je m'étais blessée et j'ai bondi... pour subir l'attaque d'une culotte blanche taille 64.

À ce moment-là, je me suis réveillée !

Non. Je me suis seulement rappelé que, sur le balcon de Kellie, il valait mieux être prudent. Certains locataires de l'immeuble accrochent des plantes sur leur balcon, d'autres y font sécher une ou deux paires de chaussettes, mais celui de la mère de Kellie, qui doit avoir approximativement la taille d'une boîte à chaussures, ressemble à quelque chose qui tient en même temps des jardins suspendus de Babylone et d'un bateau-lavoir en miniature.

Fatiguée d'attendre l'arrivée de Salma pour que nous puissions toutes aller profiter du soleil, j'avais décidé d'aller y faire un tour. Je m'étais retrouvée à rêvasser en regardant le coup de soleil d'un type chauve sur le trottoir juste en dessous. (La seule vue que l'on a, du troisième étage, depuis l'appartement de Kellie, est… le troisième étage de l'immeuble en face et la rue en bas.) C'est comme ça que je m'étais approchée un peu trop près du cactus, que j'avais écrasé une tomate bien mûre (sprouitch !) et que j'avais dû me défendre contre la culotte géante de la mère de Kellie.

— Salma est arrivée ! m'a prévenue Jen en passant la tête sur le balcon. Tu viens, Ally ?

— J'arrive !

J'espérais qu'elle n'avait pas vu que j'étais sur le point d'essuyer la tache de tomate écrasée de mon épaule avec la culotte XXL de la mère de Kellie.

Mes yeux ont eu besoin de quelques minutes pour s'habituer à l'ombre de l'appartement…

— Tiens, m'a dit Jen.

— Merci, ai-je murmuré en prenant le mouchoir en papier qu'elle me tendait.

(Argh ! Elle avait vu.)

— Super ! ai-je entendu Kellie s'exclamer (même si je n'arrivais pas encore tout à fait à la distinguer), maintenant que tout le monde est là, je vais vous montrer ce que j'ai déniché !

J'ai cligné rapidement des yeux, ça y est, ma vision était revenue à la normale. C'est vrai, nous étions toutes là : Chloë, Salma, Jen, Kellie et moi. Toutes sauf Sandie qui était partie en visite dans sa famille pour quelques jours, et Kyra qui faisait les boutiques avec sa mère. (On pouvait parier sans prendre de risque qu'en ce moment même, les magasins du centre étaient le théâtre de disputes et de lamentations.)

— C'est quoi ? ai-je demandé à Kellie.

Ce qu'elle avait dans son sac m'intriguait autant que son air mystérieux et sa façon de se retourner sans arrêt. Ça devait être au moins un microfilm top-secret sur un projet gouvernemental d'interdiction du gloss, des devoirs ou de je ne sais quoi. Si ça se trouve, James Bond allait surgir d'un instant à l'autre pour s'emparer d'elle et la jeter en prison !

— Regardez ! a souri Kellie, en brandissant un livre et en jetant un nouveau regard soupçonneux derrière elle.

— Génial ! s'est exclamée Chloë en regardant le livre à la couverture cornée. *Faites pousser vos cactus*, fascinant !

Kellie a froncé les sourcils et a retourné le livre pour vérifier la couverture.

— Ah, non, celui-là, je l'ai pris pour ma mère, a-t-elle marmonné en fouillant à nouveau dans son sac. Je suis allée à la bouquinerie avec ma cousine Laetitia, ce matin, et j'ai trouvé… ceci !

Un sourire jusqu'aux oreilles, elle nous a tendu le livre.

– *Philtres d'amour en tout genre*, ai-je lu à voix haute, au cas où mes amies auraient oublié leur alphabet pendant les vacances.

– Waouh ! Cool ! Fais voir ! s'est étranglée Chloë.

Elle n'était plus sarcastique, plutôt excitée comme une puce.

– Il ne m'a coûté que cinquante pence mais il contient des tas de recettes pour trouver l'amour, a expliqué Kellie.

Chloë lui avait pris le livre des mains et le feuilletait avidement. Salma et Jen s'étaient rapprochées pour en profiter aussi. Je les ai rejointes aussitôt. Je me suis placée derrière Chlo et appuyée contre le dossier du canapé.

– Tiens, Ally, a soudain décidé Chloë en me tendant le livre par-dessus sa tête, lis-nous-en une au hasard, tu sais, avec ta drôle de voix, là…

– Ouais, vas-y, Al, m'a encouragée Salma.

Ah. J'ignorais que je savais faire une « drôle de voix », mais puisqu'elles le disaient… J'ai rapidement tourné les pages pleines d'étranges et merveilleux philtres d'amour et je me suis arrêtée sur une recette avec un nom stupide.

– C'est parti, ai-je lancé en me redressant pour prendre une voix profonde. *Le Charme des Charmes pour Charmer Entièrement et Complètement.*

– Oooh ! J'en ai la chair de poule !

– Tais-toi, Kel ! l'a rabrouée Salma, assise sur le sol, les genoux contre la poitrine. Laisse parler Ally.

– *Pour que le philtre soit opérationnel*, ai-je repris, *il doit être préparé au premier coup de minuit.*

– C'est pas juste, s'est plainte Jen, je n'arrive jamais à rester éveillée après dix heures et demie.

– C'est sûr, s'est moquée Chloë, t'es en pyjama à huit heures pour que ta mère vienne te lire une histoire dans ton lit.

J'ai toussé bruyamment pour rappeler les filles à l'ordre.

– Laisse tomber, Al ! Moi je t'écoute, m'a lancé Salma.

– Bref, ça dit qu'il faut un coquillage, une pin-cée de muscade, un cheveu de votre tête…

– Et de quelle autre tête il pourrait s'agir ? m'a grossièrement interrompue Chloë.

– Ally, tu fais plus ta voix ! a protesté Kellie.

J'ai pris une grande inspiration et j'ai repris. Je n'avais que six phrases à lire, mais à cette allure, j'en aurais jusqu'à Noël.

– *Mettez ces trois ingrédients essentiels dans un tissu blanc et propre que vous repliez. Prenez ce paquet sacré dans votre main gauche et fermez les yeux. Visualisez une lumière blanche qui vous enveloppe. Maintenant que le charme est terminé, vous êtes irrésistible. Tous ceux que vous rencontrerez avant le douzième coup de minuit, la nuit suivante, tomberont éperdument amoureux de vous.*

– Génial ! s'est écriée Chloë. On n'a qu'à toutes le faire ce soir ! Et puis on se téléphonera dimanche pour comparer les résultats. On verra celle qui aura fait craquer le plus de garçons !

– Non, pas moi.

Salma a secoué la tête.

– J'emmène ma nièce et ma sœur à un anniversaire, samedi. Si le charme fonctionne, je vais me retrouver avec vingt gamins de trois ans pendus à mes basques. Et pour être franche, j'espère trouver un petit copain un peu plus âgé que ça.

Chloë a haussé les épaules.

– D'accord, on choisit son jour pendant le week-end et on se téléphone lundi…

– Ma mère ! a soudain paniqué Kellie.

C'était plutôt bizarre, vu que Kellie et sa mère s'entendent super bien.

– Vite, Ally, cache le livre ! Ma mère va hurler si elle le voit !

– Pourquoi ? ai-je demandé en fourrant le livre dans mon short et en le recouvrant avec mon T-shirt.

– Tu sais comme elle est croyante, a sifflé Kellie. Elle déteste tous les sortilèges et ce genre de trucs… Même si c'est juste pour rire.

C'était vrai. Mme Vincent est super cool et laisse Kellie regarder tout ce qu'elle veut à la télé sauf *Sabrina, l'apprentie-sorcière* et *Buffy contre les vampires*. Bon, Buffy, des fois ça fout la trouille, mais Sabrina ! Cette sorcière est à peu près aussi satanique qu'un chamallow. Je commençais à comprendre pourquoi Kellie avait pris tant de précautions avant de sortir son livre.

— Salut les filles, a lancé gaiement Mme Vincent en essayant de passer la porte de la cuisine. (Ce qui était loin d'être évident avec ses sacs pleins à craquer. On avait l'impression qu'elle s'apprêtait à nourrir trois équipes de rugby et non pas sa fille maigrichonne.)

Elle n'a pas eu le temps d'entendre notre chœur de « bonjour » : le téléphone a sonné dans l'entrée et elle s'est précipitée pour répondre. Elle n'a donc pas remarqué nos visages sur lesquels on pouvait lire : « Mais non, on n'a rien fait de mal ! »

— Tu l'as mis où ? m'a soufflé Kellie.

— Dans mon short, ai-je répondu.

Jen a pouffé. Mais elle s'est arrêtée en voyant le visage tendu de Mme Vincent dans l'encadrement de la porte.

— Ally ? m'a doucement appelée la mère de Kellie. Un coup de fil pour toi. Ta sœur Linn. C'est à propos de l'enterrement...

— Cépavrai ! Stanley ! J'avais complètement oublié !

— Allons, allons, ma chérie.

Mme Vincent s'est approchée de moi pour me serrer contre sa poitrine généreuse. Au moment où je commençais à manquer d'air, Kellie a susurré :

— Maman, Stanley est leur poisson rouge...

– Poisson rouge ?

Mme Vincent m'a regardée, les sourcils en arc de cercle au-dessus de ses yeux noisette.

– Celui de mon frère, ai-je expliqué. Il l'adorait.

– Très bien, je dirai une petite prière pour Stanley, a gentiment souri Mme Vincent.

– Merci…

J'ai pris le téléphone pour parler à Linn tout en me demandant quel genre de prière on peut faire pour un poisson rouge. Un truc du genre : « Toi, poisson rouge qui nage dans un bocal céleste, au paradis des poissons rouges… »

– Allô, Linn ?

– Ally, tu as exactement cinq minutes pour rappliquer à la maison avant que je t'enterre à la place de Stanley !

Ah, Linn… Une sorcière a sûrement prononcé sur son berceau un Charme des Charmes pour Râler Entièrement et Complètement…

CHAPITRE 2

STANLEY LE POISSON ROUGE (PAIX À SON ÂME)

L'enterrement de Stanley avait déplacé une foule nombreuse. Quand je suis arrivée, tout essoufflée, dans le jardin, j'ai d'abord vu Tor (évidemment), Papa (qui devait prolonger sa pause déjeuner exprès), Linn (qui m'a jeté un regard assassin), Rowan (avec une tenue plus excentrique que jamais), Grand-Mère et son petit ami Stanley (en chair et en os celui-là, non pas en arêtes et en écailles), Harry (notre voisin) et un petit garçon que je ne connaissais pas.

— Désolée d'être en retard, ai-je haleté à l'attention de Tor.

Cet enterrement n'avait été organisé que pour lui. Il savait depuis le début que les jours de son poisson étaient comptés – l'animal avait quand même une tumeur aussi grosse que lui sur le côté –, mais le retrouver le ventre à l'air dans son bocal la veille au soir lui avait malgré tout fait un choc. Il suffisait de regarder Stanley pour savoir qu'il était aussi mort qu'un poisson mort, mais, pour convaincre

Tor, nous avons dû appeler Harry, notre voisin vétérinaire, afin qu'il nous donne un avis professionnel. Tor devait espérer qu'Harry serait capable d'un miracle – peut-être de ressusciter son poisson en lui faisant du bouche à bouche. Ou en lui faisant de la réanimation avec des trucs électriques comme ils ont dans *Urgences* pour faire repartir le cœur. En mini-miniature.

Mais il n'y a pas eu de miracle. Pas de bouche à bouche. Pas de réanimation. La terrible vérité était incontournable : il n'y avait plus rien à faire pour sauver Stanley. Nous ne pouvions que lui offrir un départ digne de ce nom, entouré des gens qui le connaissaient et – hum – l'aimaient. Avec, en plus, ce gamin que je n'avais jamais vu.

– Puisque tout le monde est maintenant présent, je vais dire quelques mots à la mémoire de Stanley, a commencé Papa pendant que nous nous approchions du trou (le gamin en a fait autant, mais il n'avait pas l'air de comprendre pourquoi).

– Stanley n'était pas avec nous depuis longtemps, a repris Papa, mais durant ces quelques semaines…

J'ai zappé sur le reste de son discours. J'étais trop occupée à me demander pourquoi Tor avait un petit paquet enrubanné dans les mains. Quelqu'un avait-il eu l'idée de lui offrir un cadeau pour le consoler de la perte de son poisson ?

– … Et je suis sûr qu'il aura une vie éternelle heureuse au paradis des poissons et qu'il nagera gaiement dans des eaux tropicales avec d'autres poissons…

– Mais pas de requins, Papa, l'a interrompu Tor en serrant contre lui son paquet-cadeau.

Je suppose qu'il avait peur que Stanley se fasse croquer avant d'avoir atteint le paradis des poissons.

– Mais pas de requins, a repris Papa solennellement. Quoi qu'il en soit…

C'est Rowan, cette fois, qui a attiré mon attention. Elle pleurait. Je n'étais pas vraiment surprise : les glandes lacrymales de ma sœur ont toujours fonctionné à merveille. Elle portait une longue jupe violette, un foulard en velours cramoisi et des mitaines noires. On aurait dit qu'elle s'était habillée pour l'enterrement d'un membre de la famille Addams. Elle avait même piqué un faux lys blanc (j'apprendrais plus tard qu'il lui avait coûté quatre-vingt-dix-neuf pence à la mercerie d'à côté) dans ses longs cheveux ondulés. Le seul détail qui gâchait son apparence dramatique était la racine de ses cheveux : quatre centimètres de châtain à la base du crâne qui juraient avec le bout de ses mèches, noir corbeau. Ça faisait bizarre ; comme si on avait tracé une ligne de démarcation sur sa tête. Grand-Mère a jeté à Rowan un regard désapprobateur. Et elle n'était pas la seule à la regarder. Le petit garçon inconnu semblait fasciné.

– Et maintenant, à la demande de Tor, ai-je entendu Papa déclarer, nous allons chanter « Tout est beau et merveilleux ».

Je suis sûre d'avoir entendu Linn s'étrangler à cette annonce, mais le temps que je me retourne vers elle, elle avait commencé à chanter, aussi décidée que les autres à montrer son soutien à Tor.

Pendant que nous nous époumonions (tous, sauf le petit garçon inconnu), Tor a fait un truc vraiment bizarre : il s'est penché en avant et a déposé délicatement son cadeau dans le trou. Argh ! Ce n'est qu'à ce moment-là que j'ai compris : ce cadeau n'était autre que le cercueil de notre ami Stanley !

Une fois la chanson terminée, Papa s'est accroupi près de Tor et a commencé à reboucher le trou, tout en repoussant Rolf qui reniflait frénétiquement autour de lui pour essayer de comprendre ce qui se passait.

— Tiens, a lancé Stanley (le vrai, le vivant, pas le poisson mort), je l'ai faite pour lui.

Waouh ! Le petit ami de Grand-Mère avait fabriqué une minuscule croix sur laquelle il avait écrit *Stan* à la peinture verte. (C'était vraiment une toute petite croix, il n'avait pas dû avoir la place pour le *-ley*.)

— Et moi, je lui ai fait ça, c'est une stèle à sa mémoire, a reniflé Rowan en sortant de sa poche une poupée transformée en sirène.

Un sentiment proche de la panique s'est allumé dans les yeux du petit garçon inconnu, à ce moment-là.

– Merci, a murmuré Tor en allongeant la contribution de Rowan près de la croix que Papa avait plantée dans la terre meuble.

– Et ça, c'est de la part de Michael, il aurait beaucoup aimé être présent s'il n'avait pas été retenu à son travail, a dit Harry en posant un magnifique coquillage blanc et rose à côté de la croix et de la poupée. Nous l'avons trouvé pendant nos vacances à Bali. Peut-être qu'il y en a plein, là où nage Stanley à présent.

Oh-oh ! Harry avait juste essayé d'être gentil, mais ses propos ont provoqué un renouveau de sanglots chez Tor et Rowan. Des torrents de larmes coulaient le long de leurs joues. Le petit garçon inconnu semblait de plus en plus inquiet.

– Bon, c'était un très joli enterrement. Maintenant, il est l'heure d'aller manger le gâteau. Tout le monde dans la cuisine, s'il vous plaît, a gaiement lancé Grand-Mère en tapant dans ses mains avant que l'ambiance ne devienne trop morbide.

– C'est qui ce gosse ? ai-je murmuré à Linn, pendant que Grand-Mère menait tout le monde vers la porte.

– Il s'appelle Amir, c'est un petit réfugié afghan que Tor a rencontré au centre aéré, m'a expliqué Linn en prenant Rolf par le cou pour l'éloigner du site funéraire.

– T'as remarqué comment il regarde Rowan ? ai-je susurré.

– Oui. Mais ça m'étonne pas. Je suis prête à parier que là d'où il vient, personne ne ressemble à notre sœur.

– On devrait quand même demander à Tor de s'assurer qu'il va bien, tu ne crois pas ?

– Ça sert à rien, il ne parle qu'afghan !

Aaah. D'accord, je commençais à saisir… l'amitié entre Tor et Amir, je veux dire. Pour un garçon qui ne parle quasiment jamais, ce n'est pas un problème de se lier avec quelqu'un qui ne comprend pas ce qu'on lui dit.

– Venez, vous deux, nous a appelées Grand-Mère. Si vous continuez à jacasser, il ne restera plus de gâteau pour vous.

Typique de Grand-Mère. Un peu sèche, mais adorable. En entrant dans la cuisine, nous avons compris pourquoi notre présence était indispensable : Papa remettait sa veste, prêt à retourner au travail. Il nous a jeté un regard inquiet et nous a montré ses pouces dressés. L'opération « consoler Tor » était entre nos mains.

– Cette glace est délicieuse, Grand-Mère ! s'est exclamée Rowan pour réchauffer l'atmosphère.

Sa récente éruption de larmes avait fait dégouliner son mascara. Ses joues étaient marbrées de traces noires.

Jusque-là, Amir était en train de triturer du bout de sa cuillère la gelée verte que Grand-Mère lui avait servie avec sa glace, mais quand Rowan a ouvert la bouche, il l'a regardée en fronçant les sourcils.

– Dis-moi, Tor, ai-je commencé en me servant une part d'un magnifique gâteau parsemé de vermicelles multicolores, Linn m'a dit que tu avais rencontré Amir au centre aéré ?

– C'est un atelier d'art, m'a corrigée Tor.

J'ai haussé les épaules.

– Oui, si tu veux, mais…

J'allais poser une question pertinente du style : « Depuis quand Amir est-il à Londres ? » et ainsi amener doucement la conversation sur LE sujet qui m'intéressait : « Est-ce qu'Amir a la moindre idée de ce que nous étions en train de faire ? » (hum, des gens qui enterrent des paquets-cadeaux dans leur jardin et qui se nourrissent d'aliments translucides et tremblotants…), mais à ce moment-là, Amir s'est penché vers Tor et lui a murmuré un truc à l'oreille en jetant des regards en coin à Rowan.

– Qu'est-ce qu'il dit ? a demandé Linn en s'asseyant à table.

– J'ai pas tout compris, a répondu Tor. Il se demande si Rowan est une sorcière. Ou une extraterrestre. Ou une folle… enfin, un truc comme ça.

– Quoi ? a hurlé Rowan. Mais je ne suis rien de tout ça !

Je ne pense pas que Tor soit capable de parler afghan (quelle que soit la langue parlée en Afghanistan), mais à mon avis, son sixième sens l'avait parfaitement renseigné sur les inquiétudes de son copain.

D'ailleurs, c'était pas plus mal que le sixième sens de Tor soit occupé à déchiffrer les propos d'Amir, parce que pendant ce temps-là, il ne se doutait pas de ce qui se passait derrière son dos.

De ma place, j'ai observé Stanley (le vrai, pas le poisson) se diriger vers la porte comme s'il avait besoin de prendre l'air, sortir, courir sur la pelouse et essayer d'arracher de la gueule de Winslet le petit paquet-cadeau enrubanné qu'elle venait de déterrer.

Stanley le poisson rouge. Qu'il repose en paix.

Enfin, s'il y arrive !

CHAPITRE 3

DE DRÔLES
DE BRUITS

– Aïe !

Je venais de m'arracher plusieurs cheveux sans le faire exprès : il ne m'en fallait qu'un.

Pour quoi faire ? Il était minuit moins cinq, c'est-à-dire qu'il ne me restait que cinq minutes avant de jeter le sort…

La journée avait été bien remplie : les copines, les cactus sournois, l'enterrement du poisson rouge, le soutien moral à Tor (six parts de gâteau et trois parties de « Piège à Souris » étaient venues à bout de son traumatisme). J'étais vraiment crevée. Mais pendant le dîner, Linn avait dit que son copain Arthur (c'est mon petit ami – dans un monde parallèle) viendrait à la maison le lendemain. Rien, même mon épuisement, ne pouvait m'empêcher d'essayer « Le Charme des Charmes pour Charmer Entièrement et Complètement ». Même si je m'étais rendu compte quelques heures plus tôt que je n'avais aucun des ingrédients nécessaires à la préparation.

Bon, avec un peu d'improvisation, j'y étais presque. J'avais le tissu blanc (ma culotte préférée, tout juste sortie du sèche-linge), le coquillage (j'avais encore de la terre entre les orteils pour être sortie pieds nus dans le jardin deux minutes plus tôt. J'avais « emprunté » la stèle funéraire de Stanley), et maintenant, j'avais un cheveu. (Et même dix cheveux. Je me demandais si ça allait rendre le sort encore plus puissant…)

Maintenant, j'avais tout, je pouvais commencer. Ah zut, non, il me manquait la noix de muscade ! J'avais complètement oublié… Et j'étais pratiquement sûre de ne jamais en avoir vu dans la cuisine. La seule épice que nous ayons, à ma connaissance, c'était du piment. Est-ce que ça pourrait marcher ? De toute façon, il faudrait bien que je m'en contente…

– Arghhh !

Ça, c'est le bruit qu'on fait quand on mange un truc sur lequel il y a trop de piment (un truc que Rowan aurait cuisiné, par exemple). Mais c'est aussi le bruit que vous faites quand vous ouvrez le plus silencieusement possible la porte de votre chambre quelques minutes avant minuit et que vous découvrez le visage blanc de terreur d'un petit garçon juste derrière.

– Tor ! Qu'est-ce qui t'arrive ? ai-je murmuré en espérant que je n'avais pas réveillé Linn, qui dormait dans la chambre en face. Tu as fait un cauchemar ?

Tor fait souvent des cauchemars. On ne sait jamais quel genre de cauchemar, parce qu'il refuse de les décrire quand il se réveille et les a complètement oubliés le lendemain matin. Tout ce que je sais, c'est que quand ça lui arrive, c'est dans ma chambre qu'il vient se réfugier. Le matin, quand je me lève – avec un bras ankylosé, et gelée de la tête aux pieds parce qu'il m'a piqué la couette –, Tor est frais comme un gardon, et moi aussi grincheuse qu'un ours tiré de force de son hibernation.

Tor a secoué la tête.

– Nan, c'était pas un cauchemar.

Il s'est faufilé dans ma chambre à toute vitesse avec la moitié de sa collection de peluches dans les bras.

– Qu'est-ce qui t'arrive ? ai-je demandé en laissant entrer un chat qui n'était pas Colin avant de refermer la porte.

– J'ai entendu des bruits, a répondu Tor en se glissant sous ma couette.

On ne voyait plus que le haut de sa tête, la moitié de M. Pingouin et le bras d'un paresseux en peluche. Avec un petit garçon, une montagne de peluches et un chat qui n'était pas Colin en train de s'installer nonchalamment sur mon bureau, je ne me suis soudain plus tout à fait sentie chez moi.

– Quel genre de bruit ? ai-je demandé, en ramassant rapidement le livre de magie, ma mèche de cheveux, le coquillage et ma culotte pour les fourrer dans le tiroir le plus proche. (Tor n'apprécierait sans doute pas beaucoup que j'aie profané la tombe de Stanley. Surtout si peu de temps après sa mort.)

— Des coups. Et des grattements. Et puis encore des coups, a marmonné Tor.

J'ai jeté un coup d'œil à mon réveil. Il était minuit moins deux. J'avais raté l'occasion de rendre Arthur fou de moi. Ho, hum… Ce serait pour la prochaine fois. Et puis comme ça, il me restait une chance de trouver de la muscade pour être sûre que le sort fonctionne. Après tout, avec du piment, les conséquences auraient peut-être été catastrophiques… Si ça se trouve, tout le monde se serait mis à me détester au lieu de m'adorer. Et puis comment refuser quoi que ce soit à un petit bonhomme aussi mignon que Tor ? J'ai mis de côté les sorts, piment et culotte, je me suis approchée de lui et je me suis assise sur le lit. Du moins, sur le petit espace encore inoccupé. J'ai tapoté la cuisse de Tor à travers la couette.

— Je suis sûre que ce n'était qu'un cauchemar, Tor, ai-je essayé de le rassurer. Tu as eu une journée difficile avec l'enterrement de Stanley. Tu as juste dû entendre les bruits normaux de la maison qui t'ont paru effrayants dans ton sommeil…

La chambre de Tor est toujours pleine de petits bruits de toutes sortes : craquements, sifflements, vrombissements… dus à l'activité de ses animaux en cage.

— Non ! C'était pas comme d'habitude, a protesté Tor. C'était pas pareil et ça faisait peur !

Pendant un instant, je me suis demandé, en culpabilisant à mort, s'il avait pu m'entendre me glisser dehors pour prendre le coquillage. Mais je savais que j'avais été plus silencieuse qu'une petite souris. Je n'avais certainement pas fait de bruits comme ceux qu'ils venait de me décrire.

– J'ai peur, Ally…

Deux billes rondes, les yeux de Tor, sont apparues au-dessus de la couette. Aucune de mes paroles ne parviendrait à le rassurer. Seul un câlin pourrait donner un résultat.

– Allez, pousse-toi ! me suis-je exclamée gaiement en écrasant un petit éléphant en peluche pour me faire de la place dans le lit à côté de mon frère. Maintenant, ferme les yeux et pense à des choses agréables. J'éteins la lumière.

Je ne sais pas à quoi Tor a pensé (caresser des animaux et devenir vétérinaire, sans doute), mais il s'est endormi en moins de deux secondes.

Moi ? Je suis restée allongée, les yeux grands ouverts, plutôt mal à l'aise, à écouter les cloches sonner minuit. Et le moindre grattement venant de la chambre de Tor.

CHAPITRE 4

LE MYSTÈRE
DES NAINS VOLANTS

— Écoutez ça, c'est génial ! a ri Papa, les yeux fixés sur son journal.

Linn a glissé sa brosse dans son sac en fronçant les sourcils.

— Tu vas être en retard pour ouvrir le magasin.

Elle était prête à partir travailler dans sa boutique de fringues.

— Oui, a souri Papa, en agitant le journal d'une main et sa tartine de l'autre. Quand j'arriverai, il y aura une foule de gens qui m'attendront devant la porte parce qu'ils auront un besoin urgent d'un kit de réparation de vélo.

Linn a levé au ciel ses yeux maquillés et a haussé les épaules. Pendant une seconde, elle a ressemblé très exactement à Grand-Mère (sauf pour le maquillage, bien sûr). Elle avait le même air désespéré qu'elle quand elle se rend compte qu'elle n'arrivera jamais à nous mettre un peu de plomb dans la cervelle.

– Qu'est-ce qui est génial ? a demandé Tor en quittant des yeux sa tartine-damier. (Il avait alterné des carrés de confiture avec des carrés de Nutella et semblait plus enclin à admirer son œuvre qu'à la manger.)

– Ça, a encore ri Papa en se laissant tomber sur sa chaise pendant que Linn attrapait son sac à main. *Le mystère des nains volants.* C'est en gros titre.

J'ai froncé le nez. Je n'y comprenais rien.

– Nains volants ? Comme des nains de jardin ?

Malgré les deux cafés que j'avais avalés, mon cerveau ne s'était pas encore vraiment mis en marche. (Conséquence du manque de sommeil sur un quart de matelas.)

– Oui, a acquiescé Papa, ils racontent que tous les habitants de la rue de Muswell Hill sont bouleversés parce que, chaque nuit, leurs nains de jardin changent de jardin !

– Tu veux dire qu'un crétin les vole ! a lâché Linn sur un ton désapprobateur en se dirigeant vers l'entrée.

– Non, ils ne disparaissent pas, ils se contentent de se déplacer ! C'est drôle ! a voulu préciser Papa. Écoute : *Une certaine Mme Montgomery a découvert, en sortant de chez elle hier matin, ses trois hérissons en plâtre sur la table de la terrasse d'un de ses voisins alors qu'un nain de jardin qu'elle ne connaissait pas était plongé la tête la première dans son bassin.*

– Pour moi, c'est du vol, rien de plus ! a affirmé Linn en ouvrant la porte. À ce soir…

– Hummm, c'est vrai que ce n'est pas très malin de faire ça, a marmonné Papa, culpabilisé par le sermon de Linn.

– Moi, je trouve ça drôle, ai-je souri malicieusement.

– Ouais, moi aussi, est intervenu Tor.

– C'est vrai ? a repris Papa, excité comme un gosse.

(On aurait dit Tor avec une barbe de deux jours.)

– Qu'est-ce qui est vrai ? a demandé une voix depuis le seuil de la cuisine.

Ce n'était pas Rowan, qui se prélassait encore dans les bras de Morphée. Rowan pense que la seule raison valable de se lever avant onze heures un jour sans école est un incendie dans la maison.

– Laisse tomber, ai-je lâché en voyant ma copine Kyra entrer dans la cuisine comme si elle était chez elle. D'où tu viens ?

– Ben, de la porte d'entrée, a répondu ironiquement Kyra, ta sœur m'a laissée entrer. Bonjour monsieur Love, bonjour Tor.

En s'adressant à mon père et à mon frère, Kyra avait abandonné le ton sarcastique et s'était contentée d'un large sourire.

– Il est neuf heures et demie du matin, lui ai-je fait remarquer. T'as rien à faire à cette heure-là le samedi matin ? Genre flemmarder ou regarder la télé ?

Ce que je voulais lui dire, c'était : « Pourquoi ne pas revenir plus tard quand nous serons habillés ? Ou bien même utiliser cette invention géniale appelée le téléphone pour prévenir avant de passer ? »

— Je m'ennuyais, a soupiré Kyra en prenant une tartine grillée sur la table.

— Bon, les filles, moi, je m'en vais, a annoncé Papa en se levant et en posant son journal. À tout à l'heure.

Il a passé ses doigts pleins de miettes dans les cheveux de Tor et est sorti pour affronter les hordes de clients prêts à l'assaillir. (Ha !)

— Il est chouette ton pyjama, a dit Kyra en regardant le pyjama Spiderman de Tor. Mieux que celui de ta sœur en tout cas.

Tor, ravi, lui a souri en lui montrant les quelques dents de lait qui lui restent parmi ses dents définitives.

— À vrai dire, je ne pensais pas franchement avoir de la visite ce matin, ai-je rétorqué à Kyra en tirant mon vieux T-Shirt usé sur mon caleçon stretch tout détendu.

Je préférerais mourir plutôt que de me promener dans cette tenue.

— D'ailleurs, qu'est-ce qui t'amène si tôt ? ai-je repris.

Il s'était forcément passé quelque chose. Il se passe toujours quelque chose avec Kyra.

– J'ai téléphoné à Salma hier soir et elle m'a dit que tu avais un livre de sorcellerie ! s'est-elle exclamée en se redressant.

Elle allait droit au but.

– Il n'est pas à moi. Il est à Kellie. Et puis c'est pas vraiment un livre de sorcellerie, c'est juste un truc pour rigoler.

Je n'étais pas exactement emballée à l'idée que Tor se mette dans la tête qu'une de ses sœurs était une vraie sorcière. Il a assez de Rowan ! Il avait suffisamment de raisons de faire des cauchemars et je ne voulais pas y ajouter une vision de moi en train de jeter un sort pour nous débarrasser des grattements et frottements de la maison.

Mais de toute façon, Tor ne semblait pas écouter. Il était trop occupé à découper sa tartine en tout petits carrés et à donner ceux au Nutella à quelque chose sous la table.

– Je me fiche pas mal qu'il soit à toi ou à Kellie.

Kyra a haussé les épaules – ce que ça m'agace, cette manie de faire croire qu'elle se fiche de tout !

– Je veux juste y jeter un coup d'œil. J'ai vraiment besoin d'aide pour ressusciter ma défunte vie amoureuse.

– Sam n'a toujours pas appelé ? ai-je demandé en ignorant son énervement dès qu'on abordait le sujet.

Sam est le garçon qu'elle a rencontré pendant ses vacances il y a quinze jours. Ils ont passé leur temps à s'embrasser à bouche que veux-tu, dès que leurs parents avaient le dos tourné. Kyra croyait donc que, de retour à Londres, elle pourrait s'exhiber avec un petit ami mignon et bronzé. Mais vous savez ce qu'on dit : « Romance de vacances ne dure pas » et Sam, alors qu'il vivait au sud de Londres, aurait aussi bien pu être sur Mars. Elle n'en avait plus entendu parler.

– Trois chances ! Je lui ai laissé trois chances, je ne lui en donnerai pas une de plus ! a déclamé Kyra sur un ton dramatique en montrant ses doigts.

– Kyra, ça fait six, ai-je soupiré en regardant ses mains. Combien de chances lui as-tu données, au juste ?

Kyra a froncé son nez parsemé de taches de rousseur et a dressé un doigt de plus.

– Tu lui as laissé sept messages sur son portable ?

Elle a acquiescé lentement, d'un air penaud.

– Tu vois ! C'est pour ça que j'ai vraiment besoin d'aide. Je peux voir le livre ? Ally, s'il te plaît ?

J'ai regardé du côté de Tor qui, à présent, était occupé à plonger directement sa cuillère dans le pot de Nutella pour remplir l'estomac d'un animal mystérieux sous la table. Il ne me semblait pas trop dangereux de le laisser seul avec Kyra pendant quelques minutes, le temps d'aller chercher le livre dans ma chambre… et d'enfiler un jean.

Si je ne parlais pas trop fort, le bruit de la radio empêcherait Tor de m'entendre.

– Essaie de le faire rire, ai-je murmuré à Kyra. Il a passé une mauvaise journée hier.

– Pas de problème ! a répondu la championne toutes catégories du haussement d'épaules en haussant les épaules.

« Essaie de le faire rire. »
C'est ce que j'avais dit.
« Pas de problème. »
C'est ce qu'elle avait répondu.

Quand je suis revenue dans la cuisine, Kyra s'était couvert la tête d'un drap et se penchait sur mon frère en hurlant et en grognant.

Ah non, pardon : le grognement, c'était Winslet sous la table qui n'appréciait pas, mais alors pas du tout, l'apparition. Du moins si on en jugeait à la manière dont elle serrait les mâchoires sur un bord du drap pour le réduire en morceaux.

– Qu'est-ce qui se passe ? ai-je demandé, les sourcils froncés.

– J'ai raconté les bruits de cette nuit à Kyra, a caqueté Tor en sautant sur sa chaise, excité comme une puce, et elle a dit qu'on avait un esprit tapeur !

– Frappeur, a ri Kyra en enlevant le drap de sur sa tête.

– Kyra, ai-je sifflé en essayant de reprendre le drap à Winslet pour le remettre dans le panier à linge. Tu ne devrais pas lui raconter ce genre de trucs !

– Pourquoi ? C'est juste pour rire ! Comme ce livre de sorcellerie.

Cépavrai ! Est-ce qu'elle avait vraiment besoin qu'on lui explique tout en détail : si le sort marchait vraiment, tout ce qu'on risquait c'était que le garçon de nos rêves tombe fou amoureux de nous (génial, non ?) ; si Tor se mettait à croire aux esprits tapeurs ou frappeurs, moi je risquais de passer toutes mes nuits avec lui pendant les trois prochaines années.

Et ça, Kyra Davies, ça n'avait rien de drôle.

CHAPITRE 5

BOÎTES À L'ENVERS ET ESPRITS « TAPEURS »

« Esprit frappeur : esprit responsable de bruits et de déplacements d'objets. »

En gros, c'était un esprit qui avait le sens de l'humour. J'avais regardé dans le dictionnaire la veille, après le départ de Kyra (et après avoir collé Tor devant son dessin animé préféré, *Le Roi lion*, pour lui ôter de la tête toute idée d'esprits « tapeurs »). Mais vous savez quoi ? Il y a vraiment de drôles de choses qui se sont passées ces deux derniers jours. Hier soir, par exemple, je me suis aperçue qu'une des peintures de Maman, accrochée dans l'entrée, avait été tournée à l'envers. Et il n'y avait pas que ça ! Grand-Mère range toujours super bien les boîtes de conserve dans les placards, de façon à ce que l'on voie les étiquettes du premier coup d'œil (elle gagnerait haut la main un concours de la meilleure rangeuse de boîtes de conserve dans les placards, si ça existait), mais quand Papa a voulu prendre une boîte de haricots pour le déjeuner, toutes les boîtes étaient... à l'envers ! Et ne me demandez pas comment les clés de Rowan sont arrivées dans le congélateur. Je sais que Winslet a l'habitude de voler tout ce qui traîne et de le cacher dans des endroits bizarres, mais elle n'est quand même pas capable d'ouvrir la porte du frigo.

Bref, outre ces boîtes à l'envers et ces esprits frappeurs, j'avais d'autres soucis : de combien d'heures Tor allait-il réussir à nous retarder ce matin et devrions-nous faire recoudre le nez de Rolf ?

Pauvre Rolf ! On aurait dit qu'il s'était battu contre un chat et qu'il avait perdu. Ce qui était d'ailleurs le cas !

Bon, Rolf n'avait jamais eu l'intention de se battre, il voulait juste renifler le chat, ou même le lécher pour savoir à quel parfum il était, mais le chat l'avait mal pris. Il avait cru que Rolf voulait le manger. Pour ne pas prendre de risques, il lui avait fait une prise de karaté de la mort et le pauvre Rolf s'était retrouvé avec le nez lacéré.

Pauvre Rolf, certes, mais deux secondes après l'incident (je l'avais soigné comme je pouvais en épongeant son nez avec un vieux mouchoir que j'avais trouvé dans ma poche), il avait déjà oublié le drame (courageux ou stupide ?) et essayait de me déboîter le bras en tirant comme un fou sur sa laisse pour arriver le plus vite possible au parc. Et Winslet avait beau être beaucoup plus petite, elle devait dissimuler sous ses poils un tank de la guerre de 40, vu la puissance avec laquelle elle aussi tirait sur sa laisse.

– Tor ! ai-je appelé.

Il s'était encore arrêté pour caresser un chat. C'est ça le problème avec lui. Il faut dix minutes pour aller au parc, mais avec Tor, on a besoin d'au moins trente minutes, le temps de dire bonjour à tous les chats du voisinage. C'est toujours la même chose. Et le fait qu'il en ait cinq à caresser à la maison ne change rien. Ni qu'un de ces chats ait sauvagement agressé Rolf. (Tor avait caressé le chat d'abord et Rolf après !) C'était un rituel auquel on ne pouvait pas couper.

– J'arrive ! a crié Tor, quatre rues derrière moi.

Mais il n'arrivait pas du tout. Un chat était en train de se rouler sur le trottoir pour que Tor puisse lui gratouiller le ventre. J'aurais préféré que Tor n'insiste pas pour m'accompagner ce matin. Premièrement, la promenade des chiens dans le parc, le dimanche matin, est un moment privilégié entre Billy et moi. On en profite pour se raconter tout ce qui nous est arrivé dans la semaine, et une bonne partie de ce qui s'était produit dans ma vie cette semaine était bizarre et effrayante. Je n'avais pas envie d'en parler devant Tor. Deuxièmement, tous ces arrêts-chats me mettaient drôlement en retard pour mon rendez-vous avec Billy et même si l'entrée du parc était ridiculement proche (il suffisait de voir les chiens tirer sur leur laisse pour en être sûr), le banc où Billy et moi nous retrouvions était tout en haut de la colline, près du palais Alexandra. Si je grimpais la colline en courant, je serais obligée de reprendre mon souffle pendant au moins une heure et je serais donc dans l'incapacité de parler.

Je pensais à tout ça, tout en me faisant arracher les bras par Rolf et Winslet, quand j'ai vu une étoile filante en forme de petit garçon me dépasser et arriver à l'entrée du parc avant que j'aie eu le temps de me frotter les yeux.

— J'ai gagné ! a hurlé Tor alors que j'étais soulevée du sol par la force de huit puissantes pattes. (Je me demande si Rolf et Winslet n'ont pas du husky dans leurs gènes. Quoique… S'il devait tirer un traîneau, Rolf passerait sans doute son temps à courir dans tous les sens et à aboyer sur les pingouins, et Winslet se contenterait pour sa part de ronger son harnais.)

Dès que nous sommes entrés dans le parc, les chiens se sont immobilisés, attendant que je les délivre de leur laisse pour qu'ils puissent aller se vautrer sur les pelouses. Pendant un instant, j'ai eu envie de les laisser attachés pour qu'ils me traînent jusqu'en haut de la colline, mais je me suis dit que c'était une excellente idée sauf que : a) les chiens prendraient sûrement le chemin qui leur paraîtrait le plus amusant – à travers les buissons – et j'avais déjà bien assez d'égratignures sur les jambes grâce au cactus de Kellie et b) c'était un peu cruel.

De toute façon, nous n'avons pas eu à monter. Billy descendait en courant vers nous. Ou plutôt vers la grande flaque boueuse à côté de nous. Tous les chiens qui se promènent dans ce parc tombent instantanément amoureux de cette flaque permanente. On remarque ceux qui l'ont essayée à leurs chaussettes de boue et au sourire béat qui éclaire leur face canine.

— C'est Chouchou ? m'a demandé Tor en plissant les yeux à cause du soleil.

— Non, ai-je répondu en regardant le terrier noir qui émergeait de la flaque.

— Chouchouuuuuuu ! Noooooooonnnn ! a hurlé Billy en ralentissant et en agitant les bras comme s'il voulait s'envoler.

— Yapiti yapiti yap !

Oh-oh. Cet horrible aboiement aigu ne pouvait appartenir qu'à un chien et un seul. Chouchou – ex-caniche blanc – ignorait complètement son maître et bondissait vers Rolf et Winslet pour les accueillir, en laissant derrière lui des traînées de boue. La mère de Billy, obnubilée par la propreté, allait sans aucun doute tuer Billy. Je voyais déjà les gros titres : « Une mère étrangle son fils avec des gants Mapa ! Les enquêteurs expliquent qu'elle a perdu la tête après avoir retrouvé des taches de boue sur sa moquette blanche. »

— … et elle était là, avec un drap sur la tête, en train de pousser des cris de fantôme, on se serait cru dans *Scoubidou* !

Je profitais de ce que Tor était loin devant nous, en train de jouer avec ses semblables (Rolf, Winslet et Chouchou), pour raconter à Billy l'épisode de l'esprit « tapeur ».

– Mais elle a raison, Ally, ça existe, les esprits frappeurs !

– Ouais, et le père Noël passe 364 jours par an à regarder la télé et dépose des cadeaux pour des milliards d'enfants en une seule nuit.

J'ai levé les yeux au ciel, en me demandant comment j'avais pu espérer que Billy serait moins débile que les autres sur le sujet. Ou sur n'importe quel sujet, d'ailleurs !

– Quoi ? Tu veux dire que le père Noël n'existe pas ? s'est exclamé Billy, comme s'il était prêt à éclater en sanglots.

J'étais sur le point de lui balancer un « Tu rigoles, j'espère ? » quand j'ai vu – à son sourire jusqu'aux oreilles – qu'il plaisantait.

– Ally ! Je t'ai eue ! Personne ne croit au père Noël après cinq ans ! Sauf Sandie, peut-être…

Il avait bien mérité un petit coup de poing ! Billy ne rate jamais une occasion de se moquer de ma meilleure amie, qu'elle soit là pour en profiter ou pas. Bon, c'est vrai que Sandie est un peu… nunuche, mais ça ne me dérange pas, et elle ne fait de mal à personne. C'est toujours mieux que d'être un gros lourdaud comme Billy.

– Oh, a-t-il gémi en se frottant le bras (mais il souriait toujours), pourquoi tu m'as fait ça ?

– Parce que tu n'es jamais gentil avec Sandie !

Puni comme il le méritait, Billy a regardé la pelouse et est resté silencieux une seconde ou deux. Quand il a repris la parole, ce n'était pas pour s'excuser mais pour continuer notre conversation sur les fantômes. Il devait se dire que c'était la solution la plus sûre (pour ne pas recevoir un nouveau coup). Ah là là ! J'aurais bien aimé que mes meilleurs amis puissent au moins se supporter au lieu de se traiter l'un l'autre comme des extra-terrestres de deux planètes différentes (la planète « Gros Lourdaud » et la planète « Nunuche »).

– Je ne comprends pas comment tu peux affirmer que les esprits frappeurs n'existent pas, Ally, alors que tu me dis qu'il se passe plein de trucs bizarres chez toi et que tu entends des bruits !

J'ai haussé les épaules.

– Ce ne sont pas des trucs si bizarres ! Papa a dit que Grand-Mère était sûrement distraite et pressée vendredi à cause de l'enterrement de Stanley...

– Et tu crois qu'en époussetant la peinture de ta mère, elle l'a accidentellement retournée ? a demandé Billy sur un ton sceptique.

– Ben, peut-être... et on ne s'en est aperçus qu'hier soir...

– Et après, elle est allée dans la cuisine sans s'en rendre compte et elle a accidentellement retourné toutes les boîtes de conserve ?

– Ben, oui, ça se peut... je veux dire, c'est...

– Après, elle a pris les clés de Rowan et les a rangées dans le congélateur parce qu'elle pensait à autre chose ?

Évidemment, dit comme ça, ça n'était plus vraisemblable du tout.

– Ally, ta grand-mère ne ferait jamais ça, c'est comme si je te disais que ma mère allait éclater de rire en voyant Chouchou revenir couverte de boue de la tête aux pattes !

Hmm… je voyais où il voulait en venir…

– Mais qu'est-ce que ça pourrait être d'autre ? ai-je grogné.

Après tout, il venait de réduire en poussière la rassurante explication de Papa.

– C'est comme a dit Kyra ! a insisté Billy en repoussant sa casquette en arrière. C'est un esprit frappeur !

– Ah oui ? Et depuis quand es-tu un expert en esprits frappeurs, toi ?

– Je suis en train de lire un livre d'horreur ! Et il y en a un dedans, a-t-il débité, tout excité. C'est l'histoire d'une famille qui vient d'emménager dans une forêt aux États-Unis. Ce qu'ils ne savent pas, c'est qu'il y a eu un terrible meurtre dans leur maison. Et là, il commence à y avoir des bruits et des objets qui se déplacent, et le petit garçon est aspiré par un tourbillon dans la cave…

– Stop ! l'ai-je interrompu en levant la main devant son visage de crétin. Billy, qu'est-ce que tu es en train d'essayer de me dire ?

– Ben…

Il a cligné des yeux, un peu gêné.

– … c'est une histoire de…

– Exactement, Billy, c'est une histoire ! Une histoire inventée ! Ce que je veux, ce sont des preuves, pas le scénario du dernier livre que tu as acheté !

– Si tu veux des preuves, a-t-il grommelé, vexé, t'as qu'à regarder le journal. Il se passe plein de trucs bizarres dans le quartier en ce moment !

– Comme quoi ?

Un peu plus loin, j'apercevais les quatre chiens (j'inclus Tor) en train de se rouler dans l'herbe. Quand Tor, Winslet et Rolf se sont relevés, ils se sont secoués pour se débarrasser des brins d'herbe qui les recouvraient. Sur Chouchou, la boue a fait office de colle. De loin, elle ressemblait à une grosse truffe au chocolat parsemée de vermicelles verts.

– Comme tous ces nains de jardin qui déménagent pendant la nuit ! a lâché Billy. T'en as pas entendu parler ?

– Si, bien sûr. C'est juste des gamins qui s'amusent !

Billy a dressé son index sous mon nez.

– Comment peux-tu en être sûre ? C'est peut-être de la sorcellerie ! Si ça se trouve, le quartier a été construit sur une zone d'interférences cosmiques ! Peut-être que d'étranges événements y ont lieu régulièrement !

Je ne voulais même pas l'écouter, mais un frisson m'a parcouru l'échine. C'est vrai, quoi, tous ces trucs bizarres avaient commencé à se produire le jour où Kellie avait rapporté ce livre de sorcellerie. Peut-être que sa mère avait raison ; on ne devrait pas jouer avec ce genre de choses, même pour rire…

— Au fait, Ally… a soudain lancé Billy d'une voix sombre.

Oh-oh, je n'étais pas sûre de supporter d'autres hypothèses effrayantes…

— Quoi ? ai-je demandé prudemment.

— Est-ce que je peux venir chez toi ?

— Pour quoi faire ?

Voulait-il vérifier par lui-même les signes de la présence d'un esprit frappeur ?

— Ma mère va me tuer si je reviens avec Chouchou dans cet état. Je pourrais pas lui donner un bain chez toi ?

— Bien sûr, ai-je acquiescé sans hésitation.

Après tout, si un esprit frappeur rôdait chez moi, les jappements insupportables de Chouchou pouvaient lui donner envie de changer de maison… (Oh, ce serait bien…)

CHAPITRE 6

LE SORT
POUR TOUT RATER

J'étais encore en train d'enlever les taches de boue sur le mur de la salle de bains, lundi après-midi, quand les filles sont arrivées.

Je croyais que Billy et moi avions fait du bon boulot après avoir lavé Chouchou dans la baignoire (elle poussait des jappements hystériques, comme si on la disséquait), mais évidemment, en arrivant ce matin, Grand-Mère avait repéré toutes les éclaboussures que nous avions oubliées.

— Que s'est-il passé ici ? m'a-t-elle demandé après m'avoir appelée pour inspecter les dégâts. Je n'ai entendu parler d'aucune tornade dans la région.

Argh… Il n'y avait pas que la boue sur les murs : les deux grandes plantes de la salle de bains avaient des branches cassées, à cause des tentatives du chien débile de Billy pour s'enfuir de la baignoire.

— On a lavé Chouchou. Elle était couverte de boue, ai-je expliqué.

Grand-Mère a froncé les sourcils.

– C'est bizarre, j'étais pourtant persuadée que Billy avait une salle de bains chez lui.

Elle est forte en sarcasmes, Grand-Mère…

Dès que j'ai entendu la sonnette d'entrée, j'ai enlevé mes gants en caoutchouc et je me suis précipitée en bas.

– Je termine tout à l'heure, promis, ai-je assuré à Grand-Mère qui partait faire des courses, alors que mes amies entraient toutes ensemble dans la maison.

Le regard circonspect que Grand-Mère m'a jeté n'avait rien à voir avec le fait qu'elle doutait de ma promesse (j'aurais eu bien trop peur de lui désobéir) ; en fait, elle pensait que j'étais devenue à moitié folle.

Un peu plus tôt dans l'après-midi, quand elle était venue vérifier l'avancée de mon nettoyage dans la salle de bains, je n'avais pas pu m'empêcher de lui demander :

– Euh, Grand-Mère… Est-ce que tu as fait des trucs… bizarres avec les boîtes de conserve dans le placard vendredi dernier ?

– Bizarres ? Non, pourquoi veux-tu que j'aie fait des choses bizarres avec les boîtes de conserve ? Tiens, tu as oublié une trace de patte, là.

Après ça, ce n'était même plus la peine de mentionner le tableau ou les clés de Rowan.

Après quelques bonjour/au revoir à l'attention de ma grand-mère, mes amies ont filé dans le salon pour s'installer confortablement sur le canapé et les fauteuils.

– Je reviens tout de suite, a lancé Kyra en se précipitant vers les toilettes.

– Hé, tu peux finir de nettoyer la salle de bains pendant que tu y seras ! lui ai-je crié tandis qu'elle disparaissait dans l'escalier. Les carreaux ont besoin d'être frottés.

– Dans tes rêves ! a-t-elle répondu en claquant la porte des toilettes.

– Alors, c'était comment tes vacances ? ai-je demandé à Sandie en rejoignant les autres.

Je n'avais pas vu ma meilleure amie depuis presque une semaine. Son bronzage faisait paraître ses yeux bleus encore plus beaux et plus grands.

– Bien, a-t-elle répondu en haussant les épaules.

Il arrive à Sandie de dire des méchancetés sans le faire exprès mais, en règle générale, elle est trop gentille pour émettre la moindre critique. On pouvait donc traduire ce « Bien » par « Je me suis ennuyée à mourir ».

– Pas le délire, hein ? ai-je lancé.

– La ville où vit ma tante est plutôt ennuyeuse, a reconnu Sandie en s'excusant presque. Et puis elle est… gentille mais un peu autoritaire. Et sourde.

Hmm. Une timide Sandie et une vieille dame autoritaire trop sourde pour entendre la petite voix de sa nièce : ce n'était pas une très bonne combinaison.

– Elle n'a pas arrêté de dire à ses parents que si le bébé était une fille, ils devaient lui donner son prénom à elle, a ajouté Chloë qui avait manifestement eu droit à toute l'histoire sur le chemin.

– Et elle s'appelle comment, ta tante ? ai-je demandé à Sandie.

– Ethel, a grimacé mon amie.

– Ethel ! a hurlé Jen, pendant que tout le monde s'écroulait de rire.

– Ça pourrait être pire ! ai-je souri.

Sandie a écarquillé les yeux.

– Pire ?

– Elle pourrait vouloir que le bébé porte son nom même si c'est un garçon !

Ce qui est génial avec les copines, c'est qu'on rit des mêmes stupidités ! Notre sens de l'humour est plutôt pathétique mais c'est agréable de se marrer ensemble.

– Revenons à nos moutons, a annoncé Chloë quand tout le monde s'est calmé. Comment a marché le charme ?

Salma a enlevé ses tennis sans les délacer et a allongé ses longues jambes sur le tapis pour caresser du bout des orteils Colin qui dormait sur le dos.

– Nul, a-t-elle dit, j'ai fait exactement ce qui était marqué mais il ne s'est absolument rien passé. Je suis allée faire des courses avec ma mère hier et pas un seul garçon ne s'est retourné sur moi.

– Pareil pour moi, a lancé Kellie, j'ai essayé deux soirs de suite et aucun résultat.

– Pour moi non plus, il ne s'est rien passé, a ajouté Jen, recroquevillée sur le pouf.

Chloë l'a regardée en haussant les sourcils.

– C'est parce que tu l'as fait à huit heures au lieu de minuit !

– Tu sais parfaitement que je ne peux pas veiller tard, a protesté Jen.

– Et toi, Chloë ? Comment ça s'est passé ? lui ai-je demandé avant que mon tour n'arrive et que je sois obligée d'avouer que je n'avais pas encore essayé le sort.

– Génial ! C'est ce que j'ai cru en tout cas, a commencé Chloë en étendant ses bras sur le dossier du canapé. Je suis allée chez Claire's avec ma mère samedi et j'ai repéré un mec super mignon qui n'arrêtait pas de me regarder. Où que j'aille, il me suivait du regard. À ce moment-là, je me suis aperçue qu'il travaillait dans le magasin. Il ne me regardait pas parce qu'il me trouvait jolie, non, il pensait juste que j'étais une voleuse.

Son histoire nous a bien fait rire.

– Hé, toi aussi, tu vas devoir essayer le charme, Sandie ! s'est exclamée Kellie avec enthousiasme.

Sandie a écarquillé les yeux, paniquée.

– Certainement pas ! J'aurais bien trop peur. Et avec la chance que j'ai, la première personne que je rencontrerais serait le facteur ! Ou pire… Billy ou un idiot du même genre.

Elle a eu un frisson rien qu'à y penser. Elle n'avait pas tort. Son facteur avait cinquante ans et, vu son poids, devait se nourrir exclusivement de pizzas, de frites et de Mars. En ce qui concerne Billy, je suis sûre d'avoir vu un épisode de *Star Trek* qui affirmait que les habitants de la planète Nunuche sont totalement incompatibles avec ceux de la planète Gros Lourdaud.

– Hé, vous avez commencé sans moi ? a râlé Kyra en entrant dans le salon.

– T'inquiète, lui ai-je souri, t'as pas manqué grand-chose.

– Ally, est-ce que tu es d'accord pour que j'aille chercher du Coca pour tout le monde ? a interrompu Sandie, jouant les hôtesses parfaites (ce qui était plutôt cool, ça m'évitait de le faire).

– Bien sûr, ai-je acquiescé.

– Bon, et toi Kyra, t'as charmé des garçons ou pas ?

Chloë a affiché un sourire ironique. Kyra s'est poussée pour laisser passer Sandie.

– Évidemment ! a sorti Kyra avec un sourire jusqu'aux oreilles.

– Quoi, c'est vrai ? Qui ? Raconte, raconte ! s'est excitée Kellie en tapotant l'accoudoir du fauteuil pour que Kyra vienne s'asseoir.

– J'ai fait la potion samedi soir, a commencé Kyra, aux anges, et devinez qui m'a appelée hier ?

– Robbie Williams ? ai-je suggéré.

– Sam, le mec avec qui je suis sortie pendant les vacances ! a-t-elle débité sans relever ma remarque. Il a fini par me téléphoner.

– Non ? s'est étranglée Jen. Et qu'est-ce qu'il t'a dit ?

– Eh bien, qu'il aimerait que…

Nous n'avons jamais su ce que Sam aurait aimé. Sandie a fait irruption dans la pièce comme si elle était poursuivie par un tueur armé d'une hache.

– Je… je… oh, c'était… je… ça ressemblait… a-t-elle bafouillé.

Ce qui ne nous a pas donné tellement d'indices sur ce qui avait pu la mettre dans cet état.

Je me suis levée et je l'ai prise doucement par le bras.

– Qu'est-ce qui t'arrive, Sand' ?

– Je… je… j'ai vu un fantôme… j'ai regardé dans l'entrée et… et il flottait dans les airs !

Pendant une seconde, nous sommes toutes restées muettes et immobiles. Puis le courage, ou la curiosité, ou la pure folie m'a fait ouvrir la porte et jeter un œil dans la cage d'escalier.

– Tu… tu vois quelque chose ? a murmuré Jen d'une voix aiguë.

– Oui, ai-je acquiescé.

Mon cœur reprenait doucement un rythme normal. J'avais repéré l'apparition.

– Je reviens dans une seconde…

En haut de l'escalier, l'apparition a grogné.

– Tout va bien, ai-je susurré d'une voix apaisante en montant chaque marche sur la pointe des pieds pour m'approcher du fantôme.

J'étais tout près, maintenant. Je voyais distinctement les quatre pattes de Winslet qui m'avaient permis de la reconnaître. Je voyais aussi qu'elle était couverte d'un étrange accoutrement, fait de morceaux de Sopalin scotchés bout à bout avec des trous pour les yeux et les oreilles.

– C'est ta chienne ! s'est indignée Chloë, en sécurité dans le salon. Comment est-ce qu'elle s'est mis tout ça sur le dos ?

Si mon horrible cousin Charlie n'était pas retourné au Canada avec sa monstrueuse sœur jumelle et leurs affreux parents*, j'aurais affirmé qu'il était responsable de cette œuvre. Mais il n'était pas là et il n'y avait que ma famille dans la maison.

Cépavrai… L'esprit frappeur du quartier aurait-il encore frappé ?

* Voir *Le monde délirant d'Ally*, tome 8 : *Tatouages, tortue et têtes à claques.*

CHAPITRE 7

MÉDITONS TONTAINE ET TONTON

Je m'ennuyais tellement que je regardais Spartacus, la tortue, manger une feuille de salade depuis une demi-heure.

J'avais passé la demi-heure précédente assise dans un transat, les yeux dans le vague, à tirer sans m'en rendre compte sur les franges de mon short en jean, jusqu'à ce que Grand-Mère me dise d'arrêter. (Je suis contente qu'elle l'ait fait : ça n'aurait pas été terrible, un short avec une jambe plus courte que l'autre.)

La demi-heure d'encore avant, j'avais essayé d'aider Grand-Mère à désherber, mais je n'arrêtais pas de me mélanger les pinceaux entre ce qu'il fallait laisser et ce qu'il fallait arracher. Avant qu'on se retrouve avec un parterre plein de mauvaises herbes et rien d'autre, Grand-Mère m'avait demandé de me rendre plus utile. Par exemple en ne restant pas dans ses jambes.

La mastication monotone de Spartacus ayant perdu de son intérêt, j'ai levé la tête pour regarder ce que faisait Tor. La dernière fois que je les avais regardés, lui et les chiens jouaient au houla-hop (Tor fait tourner le cerceau autour de sa taille et les chiens, tout fous, essayent de l'attraper quand il passe devant leur nez). À présent, il semblait s'entraîner à un numéro de cirque : il était sur la balançoire du jardin et appelait les chiens pour les faire sauter sur ses genoux. Les pauvres avaient l'air complètement perdu.

Je suppose que j'aurais pu regarder pendant une demi-heure, vu que je n'avais rien d'autre à faire...

– Salut.

– Salut, ai-je répondu à Rowan, qui ressemblait à un tube de Smarties. Je croyais que tu étais sortie.

Comme Linn, Rowan avait trouvé un travail pour l'été. Elle devait balayer et préparer le thé dans un salon de coiffure à la mode, mais, contrairement à Linn, elle n'avait pas gardé son travail très longtemps. En réalité, elle ne l'avait gardé que le temps de la visite de nos affreux oncle et tante du Canada. Dès qu'ils étaient rentrés chez eux et que la maison était redevenue supportable, elle avait démissionné. Je ne crois pas que Papa et Grand-Mère lui en aient voulu ; durant le peu de temps qu'elle avait passé dans ce salon de coiffure, elle avait réussi à se faire tatouer le bras. Bon, ce n'était pas dramatique, c'était juste une coccinelle taille réelle, mais ils ont dû avoir peur qu'elle finisse par revenir avec les cheveux teints en rose ou un piercing dans le sein…

— Je devais sortir avec Von, cet après-midi, mais elle m'a envoyée balader, a soupiré Rowan en regardant les vains efforts de Tor pour transformer nos chiens en animaux de cirque. (Rolf et Winslet s'étaient assis devant lui, remuaient la queue et tournaient la tête à chacun de ses allers-retours, mais manifestement, ils ne comprenaient pas ce qu'il attendait.)

— Et donc, tu es venue dans le jardin ? ai-je lancé, ravie que Rowan s'asseye au soleil avec moi et partage mon ennui.

Soudain, comme si elle mimait un ascenseur, elle a plié les genoux et s'est penchée vers moi.

— Tu ne voudrais pas venir avec moi à l'intérieur ? Dans ma chambre… a-t-elle marmonné du coin de la bouche sans quitter Tor des yeux.

— Pourquoi ? ai-je demandé sans prendre de précaution particulière.

— Viens… je pars devant. Tu me rejoins dans une minute pour que personne ne remarque rien. D'accord ?

Pour que personne ne nous remarque ? Personne qui ? Qui en avait quelque chose à faire que Rowan et moi rentrions dans la maison ensemble ? Peut-être que Rowan ne faisait pas seulement du mime et répétait un rôle d'espion dans le prochain film de James Bond.

J'étais trop interloquée pour dire quoi que ce soit ; elle a repris son ascenseur invisible et est repartie vers la cuisine. Je suis restée une seconde et demie à regarder le dos de Grand-Mère, qui continuait d'arracher joyeusement ses mauvaises herbes en fredonnant la chanson que diffusait la radio posée à côté d'elle, puis j'ai jeté un œil vers Tor qui se balançait toujours, non moins joyeusement, et je me suis rendu compte qu'ils n'avaient même pas vu que Ro était venue dans le jardin. Et encore moins qu'elle était repartie.

Mais bon, son étrange pantomime était la chose la plus intéressante de la matinée (ce n'est pas peu dire !). Je me suis levée du transat le plus silencieusement possible et je me suis dirigée, sans me presser, vers la maison pour retrouver ma folle de sœur. Je venais d'entrer dans la cuisine fraîche quand un bruit sourd suivi d'un grognement (À moins que ça n'ait été un rugissement suivi d'un bruit sourd ?) m'ont fait me retourner.

Aha. Les efforts de Tor avaient fini par porter leurs fruits. Rolf et Winslet avaient sauté tous les deux en même temps sur ses genoux et les trois compères étaient tombés de la balançoire dans un tumulte de grognements, d'éclats de rire et d'aboiements.

– Il va bien ? ai-je demandé à Grand-Mère qui s'était immédiatement précipitée pour comptabiliser les bleus.

– Tout le monde est entier, m'a-t-elle répondu de sa voix calme en relevant Tor et en repoussant les coups de langue reconnaissants des chiens.

Bon, pourtant, c'était un numéro sans filet ! Je pouvais aller voir ce qui se passait dans le monde étrange de Rowan.

– Tu veux que je fasse quoi ?

Je regardais Rowan, les yeux écarquillés. Malgré le soleil, elle avait tiré ses rideaux de velours rouge mités et, au lieu d'allumer toutes ses guirlandes électriques, elle avait juste mis une bougie sur un vieux plateau posé au milieu de son tapis. (À part ça, il n'y avait que les rayons du soleil qui passaient à travers les trous de ses rideaux.)

– Que tu médites ! a répété Rowan, enthousiaste.

Elle était assise en face de moi, le plateau et la bougie entre nous.

– C'est le seul moyen d'entrer en contact ! a-t-elle ajouté.

– Qui a dit que je voulais entrer en contact avec un fantôme ?

Je n'avais pas été la seule à raconter à mes amis les étranges phénomènes qui se produisaient dans la maison. Rowan en avait apparemment fait autant avec Von et Chazza. Et Von avait donné son point de vue éclairé sur le sujet : il suffisait de méditer pour se vider l'esprit et, ensuite, de poser des questions au fantôme.

– Mais Von a dit qu'il nous répondrait, a insisté Rowan.

(Vous savez quoi, c'est drôlement difficile d'écouter sérieusement des propos sur le surnaturel tenus par une fille avec des couettes retenues par des barrettes d'enfant en forme de fraise.)

– Et alors, ai-je repris, à quoi ça va servir ? Qu'est-ce qu'on va lui dire ? « Bonjour monsieur le fantôme, on peut vous demander ce que vous comptez faire ? Combien de temps pensez-vous rester chez nous ? » « Eh bien, les filles, je trouve très drôle de traîner dans le coin et de vous faire peur pendant une dizaine d'années… »

– Arrête ! Ça ne se passerait pas comme ça, a affirmé Rowan sérieusement.

Depuis quand ma sœur était-elle devenue experte en matière de paranormal ? On pourrait peut-être devenir riches en allant raconter notre histoire à Hollywood pour qu'ils fassent une série concurrente de *Buffy*. Un truc du genre *Rowan, chasseuse de fantômes*.

– Et ça se passerait comment, alors ? Tu vas lui demander quelle est sa couleur préférée ?

Peut-être qu'en fixant Rowan suffisamment longtemps, je pourrais réparer les parties endommagées de son cerveau.

– Ou bien s'il aime la manière dont tu as décoré ta chambre ? Ou sa marque de chips préférée… ? ai-je continué.

– Ally, arrête tes sarcasmes, on dirait Linn, a gémi Rowan.

Ça m'a tout de suite calmée. Y a rien de mieux que d'être comparée à notre grande sœur super raisonnable (mais pas super drôle) pour avoir envie de se comporter en fille irresponsable et vaguement stupide.

– D'accord, Ro. Peut-être que ça va marcher. Qu'est-ce qu'on doit faire ?

– Génial, a applaudi Rowan, excitée comme une puce. D'abord tu dois t'asseoir comme moi.

J'ai essayé de croiser les jambes. Sur le sol, facile, mais sur un fauteuil gonflable, impossible. J'ai laissé tomber. J'ai juste légèrement écarté les bras et posé mes mains sur les accoudoirs, les paumes vers le plafond.

– Après, tu dois fermer les yeux et rester complètement immobile. Tu dois te vider la tête de toute pensée pendant quelques minutes…

Je ne devrais pas avoir trop de mal. J'avais passé la plus grande partie de la matinée à observer une tortue en train de manger de la laitue en ne pensant à rien.

J'ai obéi, sauf qu'à force de rester immobile, j'ai commencé à avoir la tête qui tournait… en fait, j'étais tellement concentrée que j'en avais oublié de respirer.

Quand j'ai repris ma respiration, je n'arrivais plus à me concentrer sur ma concentration parce que le morceau de jean que j'avais effiloché me chatouillait. Je ne voulais pas bouger le bras pour me gratter parce que j'avais peur de tout gâcher, alors j'ai commencé à me frotter la cuisse tout doucement sur le fauteuil. Et au cas où vous ne le sauriez pas, frotter sa peau contre du plastique produit des sons qui ressemblent terriblement à des pets.

Je n'ai pas osé ouvrir les yeux. Rowan devait être super agacée. J'ai essayé de m'immobiliser et de me concentrer à nouveau mais, au bout de cinq secondes, mon estomac – affamé après un minuscule petit déjeuner composé de deux bols de céréales, cinq tartines de confiture et trois de Nutella – a commencé à gronder et à grogner comme un vieux capitaine ronchon.

Ont suivi cinq secondes de calme relatif, et j'ai failli me cogner au plafond en entendant Rowan parler d'une voix lente et grave.

– Esprit, es-tu là ?

J'ai retenu mon souffle.

Rien.

Pas un bruit, pas un pet, pas un grognement de ventre.

– Espriiiiiit, oh espriiiiiiit, fais-nous un signe.

Cette fois, il y a eu un bruit : moi qui essayais de ne pas exploser de rire. Au moment où j'allais y arriver (à ne pas rire), j'ai distinctement entendu un petit tap-tap.

Et là… là, il s'est passé autre chose : une sorte d'écho tout près de nous. La gorge serrée, j'ai ouvert les yeux exactement en même temps que Rowan…

Devant nous se tenait… Rolf, avec une haleine de pâtée pour chien, prêt à nous lécher le visage.

Hmmm. Ça a un peu cassé l'ambiance. La session de méditation était terminée pour la journée.

CHAPITRE 8

INSOMNIAQUE
ET TERRIFIÉE

Il faisait super chaud cette nuit-là. Le genre de nuit où vous avez l'impression de dégouliner et de coller comme une barre de chocolat au soleil, et où il est impossible de s'endormir.

Il devait être environ vingt-trois heures trente (enfin, peut-être… mon radio-réveil, après un an de fonctionnement aléatoire, avait décidé d'arrêter de donner l'heure) et j'étais assise à ma fenêtre pour profiter du moindre souffle d'air et de la vue sur le palais Alexandra illuminé pour une fête. J'aurais préféré être là-bas plutôt qu'ici en train d'étouffer comme Cendrillon dans sa mansarde. (Sauf que la fête en question avait toutes les chances d'être la remise des Oscars du meilleur boucher londonien et que ça ne devait pas être aussi fun qu'un bal de princesses.)

Deux ou trois pensées qui n'avaient rien à voir avec un bal ou un autre se promenaient dans mon cerveau liquéfié. Et si Billy avait raison et que tout le quartier avait été construit sur une zone cosmique ou je ne sais quoi ? Je n'avais pas voulu demander de détails, le dimanche précédent, parce qu'il n'y a rien de plus énervant que Billy tout excité par ce que lui sait et pas les autres. En fait, des tréfonds de ma mémoire surgissait le souvenir de Maman racontant que Glastonbury Tor (d'où est tiré le prénom de mon petit frère) est une tour qui a été construite sur une zone cosmique. Mais à l'époque, je n'avais pas pensé à lui demander ce que ça voulait dire. (Et maintenant, elle n'était pas vraiment dans les parages.) Je pourrais demander à Papa ou à Grand-Mère demain matin… Euh… non, peut-être pas à Grand-Mère… (« Mon Dieu, mon Dieu ! Que d'absurdités dans cette petite tête, Ally ! Allez, viens m'aider à remettre cette commode à sa place. »)

Je réfléchissais également à l'opportunité de réessayer le Charme des Charmes pour Charmer Entièrement et Complètement, ce soir. J'avais acheté de la muscade au magasin turc à côté. Le seul problème était que je devais sortir dans le jardin toute seule pour reprendre le coquillage sur la tombe de Stanley et, même si je ne croyais pas vraiment à l'existence de ce soi-disant esprit frappeur, j'avais moyennement envie de me balader dehors à cette heure-là. Et puis ma culotte était retournée dans le panier à linge, alors il me manquait un autre ingrédient.

Je suis habituée à entendre la porte de ma chambre s'ouvrir pendant la nuit – souvent par un animal à poil qui vient me tenir compagnie et m'empêcher de dormir avec ses ronflements –, mais ce n'est pas si souvent qu'elle s'ouvre d'un coup en grand et qu'elle rebondit contre mon bureau.

– J'ai encore entendu les bruits ! s'est exclamé un mini-Spiderman, les yeux écarquillés, dans l'encadrement de la porte.

Moi, j'essayais de ne pas mourir d'une crise cardiaque.

– Quels bruits ? Les coups ? ai-je demandé.

– Et les frottements ! a-t-il ajouté dans un murmure en fonçant vers mon lit pour plonger sous ma couette.

Il était manifestement terrifié. Si M. Pingouin avait été un vrai pingouin, il aurait fini étranglé par la pression des doigts de Tor autour de son cou.

– Qu'est-ce qui se passe, Al ? Tu m'as réveillée !

Linn, les yeux plissés, a poussé la porte qui s'était refermée et est entrée dans ma chambre. Sa chemise de nuit blanche et ses longs cheveux blonds qui lui tombaient sur les épaules lui donnaient une allure fantomatique.

Je ne sais pas ce qui m'a le plus stupéfaite : la possibilité qu'un esprit frappeur soit vraiment à l'origine des bruits que Tor entendait, ou voir Linn les cheveux défaits et ondulés pour la première fois depuis des années. Elle déteste ses boucles autant que d'être appelée Linnhe. C'est bizarre parce que son vrai nom et ses vrais cheveux sont tellement jolis.

– Alors ? a-t-elle lancé.

Son regard s'est adouci en se posant sur le mini-Spiderman qui sortait son nez de sous la couette.

– Oh, je vois, a-t-elle repris. Tu as encore entendu des bruits, Tor.

– Oui, des coups et des frottements, ai-je précisé.

Tor, muet comme une carpe, la regardait.

– Hé, tu n'es pas en train de te mettre dans la tête que ce sont des fantômes, quand même ? lui a souri Linn en s'asseyant près de lui sur mon lit.

« Ben, peut-être que c'en est », ai-je failli répondre.

Linn n'aurait sans doute pas été aussi indulgente avec moi qu'avec Tor.

Tor a acquiescé imperceptiblement.

– Écoute, ce n'est pas un fantôme, a affirmé Linn dans sa meilleure imitation de Grand-Mère.

Tor n'avait pas l'air convaincu. Et franchement, traitez-moi de poule mouillée si vous voulez (Tu es une poule mouillée, Ally Love !), mais je n'étais pas très rassurée non plus.

– Voilà ce que nous allons faire, a continué Linn, nous allons aller dans ta chambre tous les trois et écouter d'où viennent ces bruits. Dès que nous aurons trouvé, il n'y aura plus de raison d'avoir peur, d'accord ?

Hum, ouais, peut-être. Sauf si nous découvrons qu'ils sont l'œuvre d'un énorme et terrifiant esprit frappeur…

Mais inutile de discuter avec Linn, même Tor le sait. Il est descendu de mon lit, a pris la main de

Linn et m'a tendu son autre main, toujours agrippée à M. Pingouin.

Pour lui, j'ai essayé d'être courageuse. Ce qui n'a pas été trop difficile :

a) Linn marchait devant.

b) Elle allumait toutes les lumières au fur et à mesure.

c) Si j'étais un esprit frappeur, je n'aurais aucune envie de me colleter avec Linn Love.

– Regarde, Frankie et Derek sont profondément endormis.

Linn s'est retournée pour sourire à Tor.

– C'est Fluffy et Eddie, a marmonné Tor en regardant la boule de poil noire et blanche empilée au bas de l'escalier près du radiateur.

– D'accord, si tu veux, a murmuré Linn pour ne pas réveiller les chats (ni Papa et Rowan, je suppose). Mais n'empêche, s'il y avait un problème, les animaux agiraient bizarrement, tu ne crois pas ?

Elle aurait dû se mordre la langue… Elle avait à peine fini sa phrase que Fluffy et Eddie se sont réveillés en sursaut, les oreilles tournées vers la chambre de Tor, comme à l'écoute de bruits inaudibles pour les humains.

Du moins dans un premier temps.

Les lumières étaient allumées, mais ça n'a pas empêché Linn et Tor de sursauter quand la porte de la chambre de Rowan s'est brusquement ouverte sur notre sœur, les cheveux en bataille.

– Ahh ! a-t-elle crié en nous voyant.

— Qu'est-ce qui t'arrive ? a aboyé Linn, essayant de se ressaisir.

(Elle avait la chair de poule !)

— J'ai entendu des bruits, a sifflé Rowan en montrant sa chambre du doigt.

Juste avant les vacances, au collège, on avait lu cette pièce de théâtre qui parle des sorcières de Salem. On s'était demandé si les sorcières étaient de vraies sorcières ou si tout le village était devenu fou.

Soit il y avait réellement un esprit frappeur en train de ricaner devant notre frayeur, soit nous étions tous en train de tourner hystériques.

En tout cas, Papa a été très très surpris, ce soir-là, en retrouvant son lit envahi par toute la famille, deux chats qui n'étaient pas Colin et un pingouin en peluche avec le cou écrabouillé…

CHAPITRE 9

DES BRUITS
DANS LA NUIT

Esprits frappeurs ou pas, je crois que ce qui a le plus effrayé Papa quand nous sommes tous entrés dans sa chambre, c'est la coiffure de Rowan.

On aurait dit qu'elle avait mis les doigts dans une prise électrique – mais que ça n'avait dressé ses cheveux que d'un côté. En fait, c'était sûrement à cause de la manière dont elle dormait, avant d'être brutalement réveillée par les bruits mystérieux.

Papa et ses fidèles assistants – Rolf et Winslet, qui croyaient qu'il avait inventé un nouveau jeu – ont exploré la maison de fond en comble. Il tendait l'oreille, à l'affût du moindre bruit.

– C'était pas vraiment des craquements, avait expliqué Rowan, blottie dans le lit de Papa, près de Tor, tandis que Linn et moi avions investi l'autre côté.

Deux chats qui n'étaient pas Colin s'étaient installés au milieu.

– Plutôt des petits coups à suivre ? avait demandé Tor.

– Oui, plutôt ça ! a acquiescé Ro avec enthousiasme. Tu as entendu aussi ?

Tor a pris un moment pour réfléchir.

– Non, a-t-il fini par lâcher en secouant la tête.

Bon, que ce soit des grands coups, des petits coups, des craquements, des frottements ou je ne sais quoi, Papa n'a rien trouvé qui puisse expliquer les bruits. La maison était d'ailleurs parfaitement et étrangement silencieuse…

– Tu vois, a soupiré Grand-Mère, exaspérée, ce matin. C'est ridicule. Vous commencez par dire que vous entendez des bruits bizarres et après, ce que vous trouvez bizarre, c'est qu'il n'y ait pas de bruits.

Rowan et moi avons échangé un regard. Nous avions fait une gaffe en racontant toute l'histoire à Grand-Mère. Mais de toute façon, Tor lui avait déjà presque tout dit sur le chemin de son atelier de travaux manuels. Et puis nos bâillements et nos cernes sous les yeux nous auraient trahies de toute façon.

– Vous savez ce que j'en pense !

Oh oui, nous le savions ! Mais Rowan et moi savions aussi pertinemment qu'elle ne résisterait pas à l'envie de nous répéter une nouvelle fois que nous avions beaucoup trop d'imagination et que nos histoires de fantômes étaient totalement stupides pour les raisons suivantes :

a) Les fantômes n'existent pas.

b) Ce n'était pas bon pour nous de croire à ces sottises et ce n'était pas bon pour Tor de voir que ses sœurs y croyaient.

c) Il y avait forcément une explication rationnelle à tous ces bruits que nous entendions la nuit.

Si j'avais été assez courageuse – ou assez inconsciente – pour tenir tête à Grand-Mère, je lui aurais répondu que :

1) Elle ne pouvait pas savoir si les fantômes existaient ou pas. Elle pouvait l'affirmer mais elle n'avait pas de preuve.

2) Nous n'avions aucune envie de croire aux fantômes ou de faire peur à Tor. C'est juste que la nuit dernière, nous étions mortes de trouille. (Même si Linn faisait sa bêcheuse ce matin en prétendant qu'elle n'avait pas eu peur. Ha ! Alors qui tenait ma main sous la couette de Papa, hier soir, hein ?)

3) S'il y avait une explication rationnelle, est-ce qu'elle l'avait trouvée ? Aha – elle ne pouvait pas répondre à ça !

Après son inspection, Papa est revenu dans sa chambre, nous a dit qu'il avait fait chou blanc et a passé la demi-heure suivante à nous raconter des blagues toutes plus nulles les unes que les autres jusqu'à ce que nous ayons ri suffisamment pour nous être débarrassés de notre chair de poule. Et puis nous sommes retournés nous coucher. (Exemple de blague nulle : « Deux éléphants qui tombent d'une falaise, qu'est-ce que ça fait ? Boum, boum ! »)

Grand-Mère a procédé différemment pour nous faire penser à autre chose : elle nous a enrôlées, Ro et moi, dans un grand ménage de toute la maison. Elle se disait peut-être que les mauvais esprits pourraient être engloutis dans l'aspirateur.

– À mon avis, les vacances sont trop longues ! C'est ça le problème ! Vous avez besoin d'activités ! a poursuivi Grand-Mère sur la lancée de sa théorie en tendant une boîte de cire et un chiffon à Rowan.

Moi, j'ai eu droit à une bombe de produit pour rafraîchir les tapis.

– Je vais vous occuper, moi, a-t-elle ajouté, c'est ça la solution. Vous aurez moins tendance à laisser vos esprits divaguer !

J'ai empêché mon esprit de divaguer en écrivant le mot « fantôme » sur le tapis du salon avec la bombe. Malheureusement, il y en avait juste assez pour écrire « fantô », dommage. C'est à ce moment que la sonnette de la porte d'entrée a retenti.

– J'y vais ! ai-je crié vers le premier étage où Grand-Mère et Rowan augmentaient le trou dans la couche d'ozone en cirant tout ce qui ne bougeait pas.

– Salut… a bâillé Kyra.

Elle avait l'air d'une fille qui n'a pas assez d'activités pour empêcher son esprit de divaguer. Elle a plissé le nez.

– Ouah, cette maison sent… le propre !

– Entre, fais comme chez toi, ai-je lancé, sarcastique.

Kyra était déjà presque arrivée à la cuisine.

– T'as du Coca ? a-t-elle demandé par-dessus
son épaule en se dirigeant vers le réfrigérateur.

Je l'ai suivie.

– Peut-être. Qu'est-ce qui t'amène ?

Elle me tournait le dos. J'ai articulé en silence :
« Je m'ennuyais » ; au même moment, elle a haussé
les épaules en marmonnant :

– Je m'ennuyais.

Ça n'avait rien d'une coïncidence troublante,
c'est juste que Kyra dit toujours la même chose. Elle
s'ennuie tout le temps. Cela dit, elle avait intérêt à
faire attention, Grand-Mère était capable de l'envoyer nettoyer les toilettes avec une brosse et un
bidon de M. Propre avant qu'elle ait eu le temps de
bâiller.

– Seven Up ! Génial ! s'est exclamée Kyra en
sortant une bouteille sur laquelle était collé un Post-
it marqué *Propriété de Linn Love*. T'en veux ?

Je ne pouvais pas vraiment lui dire de ne pas se
servir vu que Rowan et moi, nous faisons toujours
comme si ces fameux Post-it n'existaient pas !

– Je veux bien, ai-je répondu en m'asseyant.
Mais tu ne peux pas rester longtemps, ma grand-
mère a entamé un grand nettoyage. Je dois aérer les
matelas, briquer le carrelage… ce genre de trucs…

J'espérais ne pas me tromper. Grand-Mère
m'avait donné une telle liste de corvées, le matin,

que je m'étais un peu embrouillée. Si ça se trouve, il fallait que je brique les matelas et que j'aère le carrelage…

Kyra a fait une grimace et tiré une chaise pour s'asseoir en face de moi.

— Ouahou ! Dur ! a-t-elle lancé. Au fait, il s'est encore passé des trucs bizarres chez toi, ou pas ?

— Je te crois ! On a entendu des coups et des frottements cette nuit ! On a tous eu la trouille de notre vie ! On est allés se réfugier dans la chambre de Papa.

Kyra a écarquillé les yeux avec intérêt. Elle avait l'air de moins s'ennuyer, tout à coup.

— C'est vrai ? Vous avez entendu le fantôme ?

— Euh… moi, non… mais Tor et Rowan, oui.

Kyra a hoché la tête doucement.

— C'est cool !

— Allyyyy ! C'était qui ? a appelé Grand-Mère du haut des escaliers.

— Kyra, ai-je répondu, au cas où elle aurait cru que j'avais ouvert la porte à un tueur en série pendant qu'elle faisait reluire les robinets de la salle de bains.

— Ah, très bien ! Elle va pouvoir nous aider !

— Euh… je suis désolée, madame Miller, je ne peux pas rester ! s'est empressée de répliquer Kyra en se levant rapidement.

— On se voit demain ? lui ai-je demandé en l'accompagnant à la porte pour récupérer le verre qu'elle tenait encore à la main.

Elle a froncé les sourcils comme si je venais de prononcer la plus grosse stupidité du monde.

– Ben évidemment.

– Pourquoi évidemment ?

Kyra a pris cet air vague de surprise et de réflexion qu'ont les bébés quand on ne sait pas s'ils sont sur le point de sourire ou de faire caca dans leur couche. Et soudain, le déclic s'est produit.

– Ah, oui, c'est ça, je savais bien que je devais te dire quelque chose. Deux choses même !

– Quoi ?

Son cerveau est une vraie passoire ! Elle vient jusque chez moi pour me donner une info et s'en va comme ça !

Elle a souri jusqu'aux oreilles.

– Demain, Sam vient me voir.

– Super ! ai-je dit, vraiment contente pour elle. Tu dois être drôlement excitée !

– Oui, mais je suis aussi un peu nerveuse.

J'étais sciée. Kyra, nerveuse ? Et puis, quand on a passé une semaine à rouler des pelles à un garçon, c'est quand même bizarre de se sentir intimidée devant lui. Je crois que je ne comprendrai jamais ces histoires de garçons. C'est trop compliqué pour moi. Fantasmer sur Arthur me donne assez de soucis comme ça.

– Je voudrais que tu m'accompagnes, Ally.

– Quoi ? me suis-je écriée.

J'avais sûrement entendu de travers.

– Euh… je me suis dit que ce ne serait pas aussi… difficile si tu étais là, Ally.

Pour elle et Sam, peut-être que ça serait plus simple, mais pour moi ! Surtout s'ils se mettaient à s'embrasser sans arrêt comme ils le faisaient en Espagne.

– Oh, et puis je voulais te demander autre chose aussi. Mon père part en déplacement ce week-end pour son travail et Maman veut aller avec lui. Rien que pour profiter d'une nuit d'hôtel gratuite. Je pourrais venir dormir ici ?

C'est dingue ! D'abord elle affirme qu'elle vient juste parce qu'elle s'ennuyait, et à la fin, elle me demande de la chaperonner, de la nourrir et de l'héberger !

– Si tu veux, ai-je répondu en ouvrant la porte.

– Super ! s'est écriée Kyra en gagnant le portail. On va bien se marrer. Je vais nous trouver des tas de trucs à faire.

Oh-oh !

– Et je te rappelle pour te dire exactement quand Sam arrive !

Oh-oh !

– Oh, et autre chose, Ally, a-t-elle poursuivi en arrivant sur le trottoir, tu peux venir avec Billy. Pour que Sam n'ait pas l'impression d'être envahi par des filles… et tu pourrais dire que Billy est ton petit copain…

Cépavrai. J'étais peut-être suffisamment curieuse pour avoir envie de voir le petit copain de Kyra, et peut-être que les amis sont là pour rendre service, mais faire passer Billy pour mon mec… ! Est-ce que ça ne dépassait pas les bornes ?

CHAPITRE 10

POISSON FANTÔME

— Ha ha ha ha ha ha !

— La ferme, Billy !

— Ha ha ha ha ha ha ha ha ha !

— C'était pas mon idée de dire que tu es mon petit copain, c'est celle de Kyra, et je lui ai répondu que je ne le ferais pas !

— Ha ha ha ha ha ha ha !

J'avais perdu une bonne occasion de me taire. J'aurais dû me contenter de lui demander de m'accompagner pour rencontrer Sam. En fait, j'aurais dû ne rien lui demander du tout. Quand j'avais appelé, c'est sa mère qui avait répondu. J'aurais dû dire à ce moment-là qu'il n'y avait rien d'important et que ce n'était pas la peine qu'il me rappelle. Maintenant, il était en train de me fracasser les tympans avec son rire de débile mental. Cépavrai ! Je trouvais déjà assez gênant que Sam pense que je sortais avec Billy, alors Billy n'avait pas besoin d'en rajouter en riant comme un âne !

– Tu n'es pas obligé de venir, ai-je dit d'une voix morne.

– T'inquiète, Ally ! a continué de ricaner Billy. Je viens, pas de souci !

– Allyyyy ! Ton dîner refroidit, m'a appelée Grand-Mère.

– Je dois y aller, ai-je dit, on se retrouve près de l'église à onze heures demain matin.

– D'accord, a répondu Billy, un peu calmé. Euh… au fait, Ally…

– Quoi ?

– Est-ce qu'on doit se tenir la main devant Sam ?

Je lui ai violemment raccroché au nez.

– Qu'est-ce que c'est, Tor ? ai-je entendu Stanley demander en retournant dans la cuisine.

Il devait essayer de savoir quelle œuvre d'art était en train de naître dans l'assiette de mon petit frère.

Papa était parti pour son cours de danse western (Argh !) et Grand-Mère avait invité Stanley à dîner, toujours dans le même souci de nous faire penser à autre chose qu'aux fantômes. Elle était capable de nous proposer de jouer aux mimes ou de chanter des chansons de colonie de vacances dès que nous aurions fini de manger. Ou de ne pas manger, dans le cas de Tor…

Je sais qu'il transforme toujours ses aliments en sculpture ou création quelconque avant de les avaler, mais ce soir, il regardait son œuvre sans manifester aucune envie de la manger.

– Tor ? l'a de nouveau interpellé Stanley.

Linn s'est penchée pour regarder dans l'assiette de Tor et a levé les yeux au ciel. Tor a tourné son assiette vers nous pour que nous profitions du spectacle.

– Ah, d'accord, très joli… a faiblement lancé Stanley en voyant le poisson en haricots qui nageait dans une mer de purée (?).

Même si le sujet choisi par Tor était un peu déprimant, je dois reconnaître que les haricots blancs à la sauce tomate imitaient très bien les écailles de poisson. Mais la mer de purée ? Ça faisait quand même bizarre.

– Tu aurais dû utiliser les spaghettis pour faire les vagues, a suggéré notre artiste maison, j'ai nommé Rowan.

On était où, là ? À un dîner ou à un cours d'arts plastiques ?

– C'est pas la mer, c'est les nuages, lui a expliqué Tor. C'est Stanley dans les nuages.

– Très bien, mon chéri, et si tu mangeais, maintenant ? a brusquement lancé Grand-Mère.

Elle s'est penchée vers son assiette, a piqué son steak sur sa fourchette, l'a glissé entre deux tranches de pain et lui a tendu.

Tor a croqué dedans et Grand-Mère en a profité pour débarrasser nos assiettes (y compris celle de Tor) et poser sur la table un énorme gâteau fourré à la crème et parsemé de vermicelles de toutes les couleurs. Grand-Mère fait toujours super bien la cuisine, mais d'habitude, ses pâtisseries sont un peu plus « raisonnables » que celle-ci : gâteau au yaourt, riz au lait, tarte au citron... Ce soir, elle essayait de toutes ses forces de créer une ambiance de fête. Elle n'allait pas tarder à nous distribuer des chapeaux pointus pour nous entraîner dans une partie de chaises musicales.

— Comment ça se passe à ta boutique, Linn ? a demandé Stanley pour changer de sujet et remplir son rôle de visiteur enjoué. (Sur les ordres de Grand-Mère.)

— C'est super ! Aujourd'hui, j'ai servi une dame qui a dépensé une somme incroyable...

Je la regardais babiller et je ne pouvais m'empêcher de la revoir, toute bouclée dans le lit de Papa, la veille. Elle nous ressemblait quand elle avait les yeux écarquillés de terreur et les cheveux détachés (même s'ils n'étaient pas aussi en bataille que ceux de Ro). Aujourd'hui, ce n'était plus la même personne avec sa queue-de-cheval lisse et sa voix posée. Elle déteste perdre ses moyens. Elle déteste avoir l'air effrayée et vulnérable...

Hé, mais qu'est-ce qui m'arrive, je me prends pour une psy ou quoi ? (Je suis forte quand même, alors que l'année dernière, je ne savais même pas écrire le mot « psychiatre ».)

Linn a fini son anecdote sur cette grosse dame super riche qui avait dépensé des fortunes en un après-midi pour des vêtements tous trop petits pour elle. Et il y a eu un silence. On n'entendait plus que les cuillères tinter contre les petites assiettes. Tor a regardé par-dessus son sandwich. (S'il continuait de manger à cette allure-là, il y serait encore à minuit.)

— L'esprit tapeur, a-t-il soudain lâché. C'est peut-être Stanley qui vient nous hanter.

Tout à coup, j'ai arrêté d'avoir peur de tous les bruits, frottements, coups et le reste. L'esprit frappeur n'existait pas ! L'image d'un poisson rouge fantôme errant dans nos couloirs était beaucoup trop drôle. Pauvre Tor, aucun d'entre nous n'avait vraiment l'intention d'éclater de rire... mais personne n'a pu s'en empêcher.

— Arrêtez ! a-t-il crié en nous lançant des regards assassins pendant que nous nous étranglions de rire.

— Tor, a réussi à articuler Grand-Mère en essuyant ses larmes derrière ses lunettes. On ne se moque pas de toi, mais je te l'ai déjà dit : il n'y a pas de fantôme.

— Ta grand-mère a raison, a approuvé Stanley. Tout a une explication rationnelle et, même si ça nous prend du temps, nous la trouverons. C'est comme les journalistes qui prétendent que les nains de jardin se déplacent tout seuls pendant la nuit. Écoute-moi bien, Tor. Ils vont bientôt découvrir les responsables.

« Sauf si ça a un rapport avec une zone cosmique », ai-je pensé, me rappelant les propos de Billy.

Grand-Mère a vidé le lait dans le verre de Tor et s'est levée pour prendre une nouvelle brique dans le réfrigérateur.

— Et de toute façon, a-t-elle repris à l'attention de Tor, on n'a jamais entendu parler de poisson fantôme. En réalité, il n'y a jamais… Oh ! Que s'est-il passé ?

Nous avons tous cessé de sourire en regardant Grand-Mère. Elle avait à la main un carton de lait dont le fond était percé et d'où s'écoulait doucement du lait, non pas blanc mais verdâtre.

Oh-oh.

Je disais quoi tout à l'heure ? L'esprit frappeur n'existe pas ? !

CHAPITRE 11

SECRETS
ET GROS MENSONGES

Il était une fois, il y a très, très longtemps (jeudi à l'heure du déjeuner), un prince charmant de Wimbledon (restez avec moi, c'est une chouette histoire). Il était plus grand que le plus grand arbre de la forêt (plus grand que Kyra, Sandie, Billy et moi... enfin, séparément je veux dire, pas si on se mettait les uns au-dessus des autres), ses cheveux étaient dorés (blonds) et ses yeux reflétaient l'éclat du saphir (ils étaient bleus). Il était fort et courageux et ne craignait personne dans le pays (c'était un gros frimeur et il n'arrêtait pas de parler de lui).

Et il n'arrêtait pas non plus de mâcher du chewing-gum. Berk.

— Et là, j'ai mis le troisième but, schlurp, schlurp, tout le monde était épaté !

Billy a haussé les épaules.

— Trois buts ? Pas mal. J'en ai mis quatre à moi tout seul à mon dernier match.

Nous étions tous assis à une table au MacDo. Sandie m'a donné un discret coup d'épaule. Je savais ce qu'elle voulait me dire : Billy était en train de mentir comme un arracheur de dents.

– Ah ouais ? Schlurp, schlurp, après le match, l'entraîneur m'a dit : « Sam, tu dois être capitaine de l'équipe cette année ! » Et je lui ai répondu : « Non, mec, je veux qu'un autre gars ait sa chance. Ça fait déjà deux ans que je suis capitaine ! » Il a dit : « C'est vrai, mais Sam, t'es le meilleur joueur que j'aie eu de toute ma carrière... » alors j'ai dit...

– J'ai failli être capitaine de mon équipe, une fois, a interrompu Billy.

Quel menteur ! Quand Billy avait-il failli être capitaine de son équipe ? Et quand avait-il mis quatre buts à lui tout seul ? Dans ses rêves, peut-être...

Sam a haussé un sourcil vers lui.

– Ah ouais ? Bon, alors je lui ai dit : « Écoute, mec... », schlurp, schlurp...

Sam me rappelait quelqu'un, mais qui ? S'il se taisait, ne serait-ce que cinq secondes, je retrouverais peut-être.

– Dégage, ai-je marmonné à Billy en sentant sa main se crisper sur la mienne.

J'ai retiré mes doigts, sous le prétexte de prendre une frite dans la barquette en face de moi. Pourtant, j'étais pas vraiment d'humeur à avaler quoi que ce soit. (Mais tout était bon pour mettre ma main hors de portée de Billy.)

Billy a fait la tête, comme s'il avait le cœur brisé par mon manque de tendresse. Cépavrai ! Il avait commencé son cinéma dès que nous avions retrouvé Kyra et Sam en ville. À essayer de prendre ma main, à me jeter des regards langoureux, à m'appeler « bébé »...

Il trouvait que faire semblant d'être mon petit ami était super drôle (surtout que je lui avais dit de se tenir à l'écart), mais dès que nous nous retrouverions tous les deux, je l'étranglerais de mes propres mains ! Je me doutais qu'il allait se comporter de cette manière, c'est même pour ça que j'avais demandé à Sandie de nous accompagner – pour que ça ne ressemble pas trop à une réunion de petits couples (berk !).

– ... Et l'autre jour en boîte, je faisais le DJ et...

– C'est dingue, s'est à nouveau exclamé Billy-le-menteur, moi aussi, je fais le DJ des fois !

– Ah ouais ? En tout cas... schlurp, schlurp, y a un type qu'est venu me voir et qui m'a sorti : « T'as des super disques, mec, tu devrais passer à la radio ! »

– Ouais, on m'a dit ça à moi aussi, a lancé Billy, tout excité.

Sandie a émis un gloussement de doute qu'elle a aussitôt dissimulé par une toux.

– Ah ouais ? a lâché Sam. En tout cas, je lui ai répondu : « Ouais, mec, j'en ferai peut-être un jour », schlurp, schlurp, et le mec a dit : « Pas de problème, mon pote a une radio pirate ! »

Billy a ouvert la bouche pour prendre la parole ; je lui ai donné un coup de pied sous la table. Je n'avais pas envie d'entendre : « Hé, moi aussi, j'ai une radio pirate ! »

Je savais que Billy faisait ça pour rire (comme quand il faisait semblant d'être mon petit copain), mais je savais aussi que Sam n'avait pas capté l'ironie. Et s'il se mettait à comprendre, il pourrait être un peu fâché contre mon ami. Et Kyra pourrait lui reprocher de lui avoir gâché son rencard. Quoique… elle n'avait pas l'air aussi emballée par Sam que tout à l'heure. Il faut reconnaître qu'elle a vraiment des goûts nazes en ce qui concerne les garçons. Pour ma part, je ne voudrais pas toucher un seul des mecs avec qui elle est sortie, même avec une perche de trois mètres de long, mais pour elle, à partir du moment où a) il est mignon et b) il s'intéresse à elle, ça lui suffit. Pour le petit a), Sam remplissait les conditions, mais pour le b), il était en train d'échouer lamentablement.

— D'toute façon, schlurp, schlurp, a repris Sam (une fois de plus), le type m'a dit : « J'ai qu'un mot à dire et t'as une émission, mon pote ! Une émission rien qu'à toi ! » Alors j'ai pris le numéro de téléphone de son pote et je l'ai appelé. Il m'a dit…

Il n'y avait aucun moyen de le faire taire. On aurait dit un Furby avec des piles inusables. Je me demandais comment il arrivait à manger ses nuggets et ses frites sans faire une pause. Il n'avait même pas besoin qu'on lui réponde, ni qu'on fasse un signe ou un geste quelconque. Je comprenais pourquoi Billy commençait à s'ennuyer ferme –

c'est pour ça qu'il essayait de s'amuser en me taquinant et en se moquant de Sam, sans que ce dernier s'en aperçoive.

Pendant ce temps-là, Kyra, le menton posé dans ses mains, les yeux dans le vague, avait l'air de se morfondre. Pauvre Sam, il était en train de se disqualifier pour un deuxième rencard avec Kyra, et pauvres de nous, qui ne savions pas comment fuir ce premier rendez-vous ! Étions-nous condamnés à rester assis une semaine entière à supporter l'énumération des exploits de ce vantard ? Si seulement il nous laissait placer un mot, un seul, comme : « Ciao ! »

– Il avait super envie d'écouter mon boulot, schlurp, schlurp, et il m'a demandé de lui envoyer une cassette de démo...

À la manière dont Sam évoquait ses innombrables talents, on aurait pu croire qu'il avait vingt-neuf ans au lieu de quatorze ! Apparemment, Billy n'était pas le seul à raconter des sornettes.

– Et vous voyez, quand on est pris dans une radio pirate, c'est comme si on bossait dans une vraie station...

Cépavrai ! Kyra bâillait comme un hippopotame – avec le bruit et tout – et Sam... continuait !

– Alors bon, ben, dans deux ans, je serai célèbre !

C'est à ce moment-là que j'ai su à qui Sam me faisait penser : à ce gros frimeur débile avec qui Linn était sortie : Z (oui, Z comme zéro !). Mais au moins Kyra n'allait pas se laisser avoir, pas comme

Linn qui avait adulé ce Z assez longtemps pour qu'il lui brise le cœur. Et il n'y avait pas que Z, il me faisait penser à Rick « la Frime » Bronlow avec qui je suis sortie une demi-minute l'année dernière (une demi-minute de trop).

– Hé, tu sais quoi ? Moi, je suis déjà célèbre, a dit Billy, balançant son plus gros bobard.

– Ah ouais ? lui a souri Sam en lui jetant un regard lourd de doute.

Ouah ! Billy avait réussi l'impossible : Sam venait de poser une question pour la première fois (de sa vie ?). J'avais hâte d'entendre ce que Billy allait bien pouvoir inventer. Allait-il prétendre être le fils caché de Madonna ou détenir le record du monde de jonglage avec des oryctéropes ?

– Regarde ça ! a jubilé Billy en prenant un journal froissé sur la table à côté.

Il l'a posé devant Sam et Kyra ; Sandie et moi avons dû nous allonger sur la table pour voir de quoi il s'agissait (évidemment, j'ai barbouillé mon T-shirt de ketchup au passage).

– Les parcmètres font scandale, a lu Kyra en fronçant les sourcils. C'est quoi cette histoire, Billy ?

– Non, pas ça !

Billy a posé le doigt sur un autre article en bas de la page.

– *Le mystère des nains de jardin continue. De plus en plus de nains se déplacent de jardin en jardin au cours de la nuit*, ai-je lu à voix haute.

94

Puis j'ai regardé la photo qui illustrait l'article. On y voyait un homme manifestement de mauvaise humeur qui désignait un nain de jardin perché dans un arbre.

— Et alors ? a lancé Kyra en faisant une moue impressionnante.

— Ben, c'est moi, a souri Billy. Moi, Steven et Hassan. C'est nous qui déplaçons les nains de jardin.

Cette fois, Sandie a poussé un vrai cri, sans prendre la peine de le dissimuler par une toux.

— Tu rigoles ? s'est exclamé Sam, soudain intéressé par autre chose que sa petite personne.

Billy avait un sourire qui faisait trois fois le tour de sa tête.

— Nan, c'est vrai ! C'est nous !

— C'est vous qui rendez fous de colère tous ces vieux grincheux ! a ri Kyra en prenant le journal pour relire l'article.

— Coupable, a avoué Billy. On voulait juste le faire une fois, mais comme ils en ont parlé dans le journal…

— Hum, Billy… l'ai-je interrompu.

J'avais l'impression d'avoir été giflée avec un poisson pas frais.

— Tu mens encore, n'est-ce pas ?

Je *devais* le lui demander. Après tout, ce qu'il avait dit jusqu'à présent était entièrement faux.

— Non, je te jure, c'est vrai. Je le jure sur ma tête !

– Mais… on en a discuté ensemble dimanche dernier au parc, ai-je protesté. Tu n'as jamais dit que c'était toi !

– Je sais ! C'est marrant, non ? a ri Billy.

– Et quand exactement comptais-tu m'en parler ? ai-je demandé.

J'avais l'impression qu'il m'avait trahie. Billy et moi ne nous sommes jamais rien caché. Jamais. Le premier secret qu'il m'a confié, c'était qu'il avait fait pipi dans le bac à sable. (Pas de panique, c'était pas l'année dernière, on avait trois ans.)

– Ben chaipas, a répondu Billy, tout gêné comme le grand imbécile qu'il est parfois.

La révélation de Billy m'avait mise dans un drôle d'état pour une autre raison. Maintenant que je savais que le mystère des nains de jardin n'était qu'une blague de potache et n'avait rien de surnaturel, qu'en était-il de ce qui se passait à la maison ?

Quelques questions me tournaient dans la tête :

Qui avait pu rendre le lait de notre frigo vert en une seule nuit ?

Un fantôme ?

Ou quoi ?

À quoi devions-nous nous attendre, maintenant ?

Des jaunes d'œufs multicolores ?

Argh ! Tout était si compliqué que je sentais les derniers neurones de mon cerveau se désagréger.

CHAPITRE 12

TES PAUPIÈRES
SONT LOURDES...

Sam avait disparu dans les limbes.

Il a peut-être pensé que Sandie, Billy, Kyra et moi l'avions accompagné jusqu'à son bus parce que nous appréciions sa compagnie... mais le pauvre garçon se trompait lourdement : pendant qu'il était allé aux toilettes au MacDo, Kyra nous avait suppliés de ne pas la laisser seule avec lui. Au cas où elle s'évanouirait d'ennui...

Mais de toute façon, il a forcément compris le message de Kyra quand, après nous avoir dit au revoir, il lui a annoncé qu'il lui téléphonerait. Kyra a juste haussé les épaules et a répondu : « Ouais, si tu veux... » en regardant ailleurs.

Et si ça ne lui a pas suffi, il a eu une deuxième chance quand il s'est penché pour l'embrasser et qu'elle a tourné la tête.

Aïe aïe aïe ! C'était tellement gênant que je ne savais plus où regarder. Évidemment, Billy s'est réjoui de toutes les humiliations subies par Sam et s'est installé contre la rambarde de l'arrêt de bus pour mieux en profiter, comme s'il regardait un épisode des *Simpson*.

Quand nous sommes tous retournés dans le parc, après nous être débarrassés de Sam, Billy a demandé à Kyra :

– Mais comment tu as fait pour ne pas t'apercevoir qu'il était ennuyeux comme la pluie alors que tu es sortie avec lui toutes tes vacances ?

– Trop occupée à lui rouler des pelles, a répondu Kyra.

– Kyra ! s'est étranglée Sandie devant le manque de pudeur de notre amie.

– Sandie, a ricané Billy, un peu d'humour ! Tu ne reconnais pas une blague quand tu en entends une ?

Sandie a pincé les lèvres et a assassiné Billy du regard. Il a continué de rire bêtement jusqu'à ce qu'il remarque les yeux étonnés de Kyra. Elle n'avait absolument pas voulu blaguer.

Hmmm… je n'avais pas beaucoup d'expérience dans ce domaine (un seul baiser avec Rick Bronlow il y a très, très longtemps), mais j'étais arrivée à la conclusion qu'il valait mieux commencer par apprécier un garçon avant de passer son temps à l'embrasser. Sinon, on prend le risque de s'apercevoir avec horreur que l'on a collé ses lèvres à celles du type le plus débile et le plus inintéressant du monde. Et ce qui venait d'arriver à Kyra me confortait dans cette opinion. Mais bon, de toute façon, je n'ai pas de débiles qui font la queue pour sortir avec moi (ni de pas débiles d'ailleurs) et je ne suis donc pas confrontée au dilemme.

– Hé, Ally, ta grand-mère a ouvert un centre aéré ?

Nous avions traversé le parc et nous étions arrivés chez moi. Kyra montrait du doigt la colonie d'enfants assis sur la pelouse pendant que Grand-Mère, tout en feuilletant un magazine, allumait et éteignait la radio posée à côté d'elle. Apparemment, les enfants jouaient aux chaises musicales, avec des coussins posés sur la pelouse. Mais le jeu était un peu confus : un chat qui n'était pas Colin s'était couché sur un des coussins et Winslet avait pris dans sa gueule un autre coussin et partait le cacher derrière un buisson. Grand-Mère était bien trop passionnée par la photo de la cuisine super design d'un grand chef pour remarquer tout ça.

– Ça doit être des copains de l'atelier de travaux manuels de Tor, ai-je pensé à voix haute.

Je ne connaissais aucun de ces enfants sauf un : Amir le petit réfugié, qui avait toujours ce même air désemparé. Manifestement, il n'avait aucune idée de ce que pouvait être un jeu de coussins musicaux et se demandait pourquoi la vieille dame n'arrêtait pas d'allumer et d'éteindre la radio et si la chasse au chien faisait partie du jeu.

– Je peux avoir un jus de fruits…

J'allais répondre à Billy qu'il pouvait évidemment prendre ce qu'il voulait dans le réfrigérateur

quand il a fini sa phrase d'une manière vraiment…
stupide !

— … chérie ? a-t-il ajouté avec un grand sourire.

— Tu m'appelles « chérie » encore une fois et tu
ne mets plus jamais les pieds ici, l'ai-je prévenu en
passant devant lui, non sans le bousculer un peu,
pour prendre une bouteille de jus d'orange et trois
verres (un pour moi, un pour Sandie, un pour Kyra
et rien pour monsieur le rigolo).

— Allyyyy, s'il te plaît ! a gémi Billy d'un ton
pitoyable en nous suivant dehors. J'ai trop soif !

— Ignore-le, a murmuré Sandie, manifestement
ravie que je le torture un peu.

— T'inquiète, il n'existe pas. Coucou Grand-
Mère, ai-je lancé en me laissant tomber sur l'herbe.

— Coucou les enfants, a souri Grand-Mère en
levant les yeux de son magazine.

À ce moment-là, elle a enfin remarqué le
désordre qui régnait sur la pelouse.

— S'il te plaît, je t'en supplie, a continué de pleur-
nicher Billy en me tendant un pot en verre qu'il
avait pris je ne sais où.

— Billy, si tu me promets d'arrêter de faire semblant d'être mon petit copain, je te donne autant de
jus d'orange que tu veux, lui ai-je lancé sévère-
ment.

Même après le départ de Sam, Billy avait continué ses bêtises en m'appelant par exemple « mon
petit loukoum » au moment où nous croisions un

groupe de garçons, ou en tombant à mes genoux comme s'il me demandait en mariage !

— Promis, Ally, promis ! Je te le promets, je ne le ferai plus.

Sandie a levé les yeux au ciel, sachant pertinemment qu'il y avait autant de chances que Billy tienne sa promesse que pour moi d'obtenir le prix Nobel de mathématiques. Mais que faire ? Billy avait la tête de Rolf quand il essaie de vous faire culpabiliser parce que vous ne lui donnez pas la dernière saucisse du plat.

— Bon, ai-je cédé en versant du jus d'orange dans le pot qu'il tenait à deux mains comme un mendiant. Et puis où as-tu trouvé ce verre ?

— Sur le rebord de la fenêtre, a expliqué Billy avant d'avaler d'un coup tout ce que je lui avais servi.

J'étais sur le point de lui faire remarquer que ce n'était pas très hygiénique de boire dans un pot poussiéreux mais, après tout, j'avais déjà vu Billy boire du Coca versé dans sa chaussure pour gagner un pari, alors je me suis dit que son estomac maltraité ne craignait sans doute pas quelques saletés.

— Ally, ma chérie, m'a soudain demandé Grand-Mère en se levant, tu peux jeter un œil sur les petits, je vais leur chercher un goûter.

— Bien sûr, ai-je répondu, un peu surprise.

Je me demandais pourquoi Grand-Mère pensait que Tor et ses copains avaient besoin de surveillance. Ce n'étaient pas des bébés, aucun n'en était au stade où on mange de la terre et où on se met des cailloux dans le nez.

— Tout à l'heure, le petit blond a voulu sortir le sécateur de l'abri de jardin pour jouer avec et la petite fille aux tresses devient hystérique dès qu'elle voit une abeille, m'a expliqué Grand-Mère comme si elle avait lu dans mes pensées.

Elle avait raison. Il valait mieux garder un œil sur eux : la famille Love risquait d'être mal vue par les parents qui récupéreraient leurs enfants couverts de sang comme dans *Scream*.

D'ailleurs, Grand-Mère était à peine partie que la petite fille aux tresses s'est mise à hurler. Heureusement que Grand-Mère m'avait prévenue. Son cri était tellement perçant que j'aurais pu croire qu'elle venait d'apercevoir notre fantôme.

— J'ai quelques idées… a commencé Kyra dès que Grand-Mère a eu le dos tourné. Des idées pour faire des trucs marrants ce week-end.

Cépavrai ! J'avais oublié que j'aurais le grand privilège d'avoir Kyra à la maison pendant les trois prochaines nuits (et jours) à partir du lendemain. J'étais épuisée à l'avance.

— Demain soir, a continué Kyra, on pourrait faire une soirée-pyjama avec toute la bande… dans le jardin !

— Oh oui ! s'est exclamée Sandie.

— Quoi… dans des tentes ? a immédiatement demandé Billy.

« Non, ai-je failli lui répondre, dans des boîtes en carton ! »

– Ben oui, dans des tentes, lui a lancé Kyra avec mépris.

– Faut que j'en parle à Papa, ai-je dit.

Mais je savais que Papa serait d'accord. Il aime qu'on lui demande la permission, c'est tout.

– Génial ! Demande-lui ce soir, comme ça on pourra téléphoner aux filles et tout organiser !

– Et les garçons ? a protesté Billy.

(Du coin de l'œil, je voyais la petite fille aux tresses s'approcher. Peut-être qu'elle croyait qu'elle serait plus en sécurité avec nous, ou qu'elle se disait que les abeilles sont allergiques aux ados.)

– De quels garçons tu parles ? a grogné Kyra.

– Ben de moi ! J'aimerais bien venir avec vous, a répondu Billy d'une voix plaintive. Je prendrai ma tente.

Je n'avais pas besoin de regarder Sandie pour savoir qu'elle faisait maintenant la tronche. Elle ne pouvait supporter Billy que pendant de courtes périodes. L'idée de l'entendre se moquer d'elle une nuit entière devait lui faire dresser les cheveux sur la tête.

Mais Kyra et moi nous sommes lancé un regard ébahi pour taquiner un peu Billy. Je savais qu'elle savait que nous trouvions toutes les deux la proposition amusante, mais c'était aussi très drôle de lui faire croire qu'il n'avait aucune chance.

J'ai secoué la tête.

– C'est hors de question.

Billy s'est décomposé. On aurait dit que je venais de lui annoncer que j'avais vendu sa PlayStation 2 pour 1£50 à un passant.

– Je veux dire qu'il est hors de question que nous fassions cette fête sans toi, ai-je repris en riant.

– Ah, génial ! a-t-il soupiré, soulagé.

(C'est vraiment trop facile de le mener en bateau !)

– Ce pot-là... est soudain intervenue une voix aiguë alors que Billy buvait sa dernière gorgée de jus d'orange.

– Eh bien quoi ? ai-je demandé à la petite fille aux tresses.

Que trouvait-elle de si surprenant dans le récipient que tenait Billy ? Bon d'accord, ce n'était pas tout à fait un verre normal, mais c'était pas une Adidas non plus !

– Sanjeev s'en est servi pour mettre ses vers de terre.

Billy a toussé et craché tout ce qu'il pouvait. Sandie lui a tapé dans le dos (ce qui était vraiment très sympa de sa part si l'on considère qu'elle ne peut pas le supporter), mais elle a juste réussi à lui faire sortir du jus d'orange par le nez. (La petite fille aux tresses a été très impressionnée.)

Mais Billy n'était pas la seule attraction...

– Ally, ton frère, il fait quoi ? m'a demandé Kyra.

À première vue, je n'en avais aucune idée. Tout ce que je voyais, c'était un demi-cercle de gamins groupés autour de Tor. Je me suis redressée pour mieux voir. Tor traçait une ligne à la craie le long du dallage du jardin. Britney (notre pigeon apprivoisé) le suivait en trottinant, fascinée.

– Il hypnotise le pigeon, ai-je expliqué à Kyra comme si c'était l'activité la plus banale du monde.

– Pardon ? a dit Kyra en me regardant.

À voir sa tête, on aurait cru que Fun Radio annonçait qu'ils interrompaient leur programme pour passer 24 heures de musique religieuse.

– On a regardé une émission à la télé hier soir, ai-je précisé. Il y avait un Américain qui faisait ça à un poulet pour l'hypnotiser. Tor essaye pour voir si ça marche avec les pigeons.

Kyra ne semblait pas très intéressée, mais les copains de Tor étaient subjugués. Ils avaient même l'air un peu effrayés. Surtout le pauvre Amir qui se demandait sans doute ce qui se passerait après.

– Salut tout le monde ! a lancé Rowan en descendant dans le jardin chargée d'un plateau couvert de brioches préparées par Grand-Mère. C'est l'heure du goûter.

À voir la réaction d'Amir, il avait dû comprendre : « Je suis un monstre et je vais tous vous dévorer en commençant par ce petit garçon afghan qui ne parle pas un mot d'anglais. »

Rowan avait un look encore plus gothique que le jour de l'enterrement de Stanley le poisson.

Mais elle a eu l'air hyper surpris de voir les enfants se mettre à hurler de toutes leurs forces à la suite d'Amir.

– L'esprit tapeur ! a crié la petite fille aux tresses en montrant ma sœur du doigt avant de se cacher derrière Billy.

Je ne sais pas à quoi ressemble un fantôme mais, à mon avis, pas à une fille de quinze ans vêtue d'une longue robe noire, avec des millions de bracelets au poignet, du rouge à lèvres, trop de khôl et les cheveux tirés en arrière. Les copains de Tor, eux, semblaient persuadés du contraire.

– Ouahhhhh ! Dites au fantôme de partir ! a hurlé un gamin pendant que Britney, sortie de sa transe, s'envolait dans son arbre préféré, paniquée.

– Tor !

La voix de Grand-Mère couvrait le chaos.

– Qu'est-ce que tu as raconté à tes amis ?

Tor s'est mordu la lèvre et a pâli.

Tout à coup, il était beaucoup plus inquiet à l'idée d'avoir des problèmes avec Grand-Mère que de rencontrer le fameux esprit « tapeur » !

CHAPITRE 13

FRAYEURS ET MOQUERIES

On aurait pu croire que Kyra s'était déjà installée à la maison. Elle n'avait pas l'air pressée de rentrer chez elle. Pas plus que Sandie et Billy, d'ailleurs.

Quand Grand-Mère leur avait dit : « Vous pouvez rester dîner si vous voulez… », ils avaient tous les trois répondu « oui » avant qu'elle ait pu finir sa phrase : « … mais je suis sûre que vos parents vous attendent chez vous. »

À peine les macaronis avalés, Grand-Mère est rentrée chez elle pour passer une petite soirée avec Stanley et Papa est parti fêter l'anniversaire d'un copain à lui ; Kyra s'est précipitée sur le téléphone pour inviter nos autres copines à la soirée du lendemain.

Après, elle a passé le combiné à Sandie et à Billy pour qu'ils appellent leurs parents afin de leur demander la permission de rester regarder la télé chez moi.

C'est quoi l'expression pour accueillir les gens : « Faites comme chez vous » ?… Hum.

– Bouh ! a hurlé Billy dans l'oreille de Sandie en surgissant de derrière le canapé.

– Billy ! ai-je aboyé.

Sandie était pétrifiée de terreur. Elle n'arrivait plus à respirer et encore moins à protester.

– J'ai failli avoir une crise cardiaque ! a lancé Rowan en se tournant vers Billy, qui était retourné s'affaler sur le pouf.

– J'ai manqué quelque chose ? a-t-il demandé en regardant la télé.

– Non. Enfin, je veux dire, ce film ne fait vraiment pas peur ! a ricané Kyra en montrant le loup-garou qui suivait la jeune fille sur l'écran.

– Euh… ouais, ai-je approuvé, protégée par un coussin que je serrais contre moi.

Je n'étais pas la seule à avoir la trouille. Sandie semblait terrifiée (même avant que Billy ne lui saute dessus), je pense qu'elle regrettait d'être restée et qu'elle aurait donné n'importe quoi pour être chez elle avec ses parents à regarder un documentaire sur les migrations des oies sauvages. Elle serrait dans la sienne la main de Rowan.

Et ma sœur avait l'air au moins aussi effrayée que Sandie. C'était pourtant elle qui avait sorti la vidéo de son sac, un peu plus tôt, en annonçant :

– C'est Chazza qui me l'a prêtée, il m'a dit que c'était hyper bien.

Hyper bien ? Hyper terrifiant, oui ! Je savais que j'aurais des cauchemars toute la nuit et j'étais prête à parier que Sandie et Rowan n'y échapperaient pas non plus. Billy aussi à mon avis, mais il se ferait couper en morceaux plutôt que de l'avouer. D'un autre côté, Kyra la dure à cuire passerait sûrement la nuit à rêver qu'elle était en train de bâiller au nez de son ex-petit copain.

— Tu as dit que ton père allait où, ce soir ? m'a demandé Kyra en prenant une poignée de chips dans le bol posé sur la table basse et en caressant Rolf au passage.

Kyra était tellement relax qu'en la regardant, il aurait été impossible de deviner qu'à l'écran, un homme avec une fausse fourrure sur le dos était en train de poignarder une fille.

— Il est… ai-je répondu en gardant les yeux fixés sur les litres de sang qui giclaient. Il est sorti avec les gens de son cours de danse western.

Kyra a ricané si fort au souvenir de l'embarrassant passe-temps de mon père que Rolf, Rowan et Sandie ont sursauté.

Billy n'a même pas entendu, occupé à se mettre les doigts dans le nez en regardant le film.

— Oh, les filles ! a soupiré Kyra à l'adresse de Sandie et de ma sœur, serrées l'une contre l'autre dans le canapé. Ce n'est qu'un film débile ! C'est juste du faux sang et de la sauce tomate. Et ça, c'est pas de vrais intestins !

— En fait, a renchéri Billy, je pense que ce sont des vrais mais qu'ils ne sont pas humains. Ça doit plutôt être des intestins de vache ou un truc comme ça.

Rowan a commencé à gémir (Sandie a émis quant à elle un drôle de bruit) et je me suis dit que c'était le bon moment pour retourner à la cuisine chercher des chips et du Coca.

Sauf que cette fois, c'est moi qui ai sursauté, en arrivant dans la cuisine…

– Oh, salut Ally ! m'a nonchalamment saluée Arthur, assis sur une chaise, moulé dans un jean, ses super Nike posées sur la table.

Il était encore plus beau que d'habitude. Il sortait de chez le coiffeur et j'avais l'impression (mais je ne pouvais pas en être sûre parce que la pièce n'était éclairée que par une toute petite lampe posée près de la poubelle) que ses cheveux étaient encore plus clairs qu'avant. Grand-Mère, bien sûr, aurait désapprouvé (elle déteste tout ce qui est faux, les colorations, les décolorations, les tatouages, les faux seins et les présentateurs de *Star Ac'* et compagnie.), mais moi, je trouvais Arthur particulièrement mignon. Même si je n'avais aucune idée de la raison pour laquelle il était assis dans ma cuisine et me regardait avec ce sourire béat.

(Béat : quel mot étrange. Je l'ai appris l'an dernier. Ça veut dire : « Qui irradie un grand bonheur » ou : « Qui possède une aura divine ». En fait, pour comprendre, il suffit de penser au sourire de la Joconde. C'est exactement ce sourire qu'Arthur affichait et c'est *moi* qu'il regardait !)

– Euh… qu'est-ce que tu fais ici ? lui ai-je demandé dans le secret espoir qu'il se jette à mes pieds et m'avoue son amour.

(Hé, qui avait besoin de préparer des philtres d'amour au milieu de la nuit ? Arthur, magnifique version masculine de la Joconde, était en train de me regarder, moi, comme si j'étais une déesse avec les cheveux en bataille, en jean et baskets. Magie ? Avais-je besoin de magie quand Arthur me regardait de cette façon ?)

– J'attends Linn. Elle est montée se changer, on va à une fête.

J'attendais qu'il ajoute : « Bien sûr, tout ceci n'est qu'un prétexte pour passer du temps avec toi, Ally », mais bizarrement, il n'a rien dit. Pourtant, mes espoirs n'étaient pas encore tout à fait morts ; il me souriait toujours béatement.

Sauf que, quand je me suis déplacée pour attraper le paquet de chips, il a continué à regarder dans la même direction. Vers le mur derrière moi.

– Quoi ? ai-je lancé d'une voix un peu aiguë.

– Oh ! a ri Arthur en secouant la tête avant de me regarder (pour de vrai, cette fois). J'étais juste en train de lire ce truc sur le tableau.

Je me suis retournée.

Et mon cœur s'est arrêté. Maintenant, je comprenais. Arthur n'« irradiait pas un grand bonheur », pas plus qu'il n'avait une « aura divine », il arborait tout simplement un sourire moqueur.

Une page déchirée d'un livre était affichée sur le tableau de la cuisine. Et c'était le « Charme des Charmes pour Charmer Entièrement et Complètement ». Comment était-il arrivé jusqu'ici ? Qui – ou quoi – s'était glissé dans ma chambre, avait trouvé le livre que j'avais soigneusement caché, déchiré cette page et l'avait accrochée dans la cuisine pour que tout le monde la voie ? Je ne sais pas si c'est ce qu'on appelle avoir le sang qui se glace dans les veines, mais ce qui est sûr, c'est que j'ai eu le plus grand frisson de ma vie.

– C'est à Rowan, j'imagine, a souri Arthur, qui supposait qu'un truc aussi futile ne pouvait appartenir qu'à ma sœur foldingue.

– Mmm, ai-je acquiescé lâchement.

De toute façon, j'étais trop sciée pour dire autre chose que « Mmm ». (C'est vrai, quoi, j'étais en état de choc. Bon, d'accord, et un peu lâche aussi.)

– Vous regardez quoi, comme film ? a demandé Arthur, qui ne se rendait pas compte de l'étrangeté de la situation.

J'ai haussé les épaules.

– Un film d'horreur.

– Cool. Je vais venir regarder avec vous.

Arthur s'est levé.

– Je commence à en avoir un peu marre d'attendre Linn.

J'ai enlevé du tableau la recette du philtre d'amour, j'ai pris le paquet de chips (j'ai « oublié » le Coca, j'avais bien trop peur pour rester toute seule dans la cuisine) et je me suis précipitée à la suite d'Arthur. Ma peur se mêlait à l'excitation : où allait-il s'asseoir ? Il y avait un pouf juste à côté du fauteuil où j'étais installée. S'il le choisissait, ma main serait tout près de ses cheveux...

— Tiens, salut Arthur, l'a accueilli Rowan, je te fais une place.

Et voilà, tous mes espoirs s'envolaient. Sandie et Kyra m'ont jeté un coup d'œil en biais (qui voulait dire : « On sait que ton cœur appartient à Arthur »), pendant que l'homme de ma vie s'asseyait près de Rowan.

Après ce qui s'était passé dans l'après-midi (les hurlements des enfants terrifiés par son look), Rowan avait retrouvé sa manière habituelle de s'habiller : couleurs flashy et queue-de-cheval attachée par un élastique jaune fluo décoré d'un énorme tournesol en plastique. Aucune chance qu'on la confonde avec une goule ou un fantôme, cette fois. Au pire, elle risquait d'être arrêtée par la police du bon goût, mais rien de plus. (C'est vrai, quoi, qui peut imaginer un fantôme vêtu d'un T-shirt jaune pétant, d'un pantalon à rayures et d'énormes chaussons en peluche roses ?)

— C'est bien ? a demandé Arthur à la cantonade.

Billy a haussé les épaules sans retirer les doigts de son stupide nez :

— Pas mal.

Arthur a haussé les épaules à son tour.

— C'est quoi l'histoire ?

– L'histoire ? a lancé une voix sarcastique derrière nous.

Linn.

– Pourquoi veux-tu qu'il y ait une histoire, il y a du sang, des tripes et des hurlements, ça suffit, non ?

Je me suis retournée pour regarder ma grande sœur. Je me demandais bien ce qui lui avait pris tant de temps. Elle était arrivée à la maison deux heures plus tôt, vêtue d'un pantalon noir et d'un T-shirt blanc et elle s'était changée pour revenir avec… un autre pantalon noir et un autre T-shirt blanc. Quel intérêt ?

Arthur s'est également tourné vers elle.

– Je sais que tu détestes les films d'horreur, Linn, mais je te promets qu'il y en a des vraiment super bien. C'est une histoire d'ambiance, tu vois…

– Ambiance ! a ricané Linn pendant que dans le film, une fille courait à perdre haleine dans la forêt pour échapper au loup-garou qui la poursuivait. Ce genre de film est toujours tourné dans le noir. Ce n'est pas pour l'ambiance, à mon avis, plutôt pour économiser de l'électricité !

Linn-la-cynique se trouvait peut-être très drôle mais je ne crois pas qu'elle ait eu plus envie de rire que nous quand, tout à coup, pile à la fin de sa phrase, toutes les lumières se sont éteintes.

– Qu'est-ce qui se passe ? a gémi Sandie.

– Une coupure de courant, que voulez-vous que ce soit ? a répondu Linn d'une voix ferme.

– Ah oui ? a dit Kyra, la reine du sarcasme numéro deux. Pourquoi la télé marche encore, alors ?

Elle avait raison : la maison était plongée dans l'obscurité mais, sur l'écran, le loup-garou commettait un nouveau crime sanglant.

Oh, pourquoi Rowan n'avait-elle pas plutôt rapporté le dernier Disney ?

CHAPITRE 14

COMPOTE HUMAINE

Ce n'est pas la panne de courant qui a brusquement réveillé Tor. (Après tout, il dormait profondément dans le noir depuis une heure.)

Oh non ! Il a descendu les escaliers quatre à quatre à cause du hurlement qui emplissait la maison. Linn avait essayé de faire taire les chiens, mais c'était difficile d'en vouloir à Rolf et à Winslet, qui ne faisaient que se joindre aux cris de Sandie, Rowan et Kyra. (À mon avis, Billy était pétrifié de terreur : il ne faisait pas un bruit.)

— Ally ! Dépêche-toi, s'il te plaît ! a henni Kyra.

Si mes mains n'avaient pas été prises de tremblote, j'aurais peut-être pu me dépêcher, mais c'était pas facile, avec les doigts tout crispés, de craquer une allumette pour enflammer la bougie posée sur la cheminée.

— Allyyyyy !

Peut-être aussi que si mes mains n'avaient pas tremblé si fort, j'en aurais profité pour étrangler Kyra.

C'est quand même drôle : Kyra a commencé par se la jouer sûre d'elle, mais deux secondes après avoir fait remarquer à Linn que la télé était encore allumée, elle a bondi de sa chaise et a rejoint Sandie et Rowan sur le canapé. Moi aussi, j'avais peur, mais au moins, j'essayais d'agir et de me rendre utile au lieu de pousser des gémissements de terreur. J'avais trouvé la boîte d'allumettes et je faisais mon possible pour éclairer un peu la pièce. J'avais aussi eu la présence d'esprit d'arrêter la cassette et de mettre *Star Ac'* qui était quand même moins flippant que des loups-garous en train d'égorger des adolescentes.

— Ally, qu'est-ce que tu fais ? Pourquoi t'allumes pas ces bougies ?

J'ai fait volte-face pour assassiner Kyra du regard mais à la seule lueur de l'écran de télé et de la bougie que j'avais péniblement réussi à allumer, j'ai tout juste réussi à distinguer une masse informe et tremblotante de filles (avec aussi un petit garçon) entassée sur le canapé. Aux reniflements et aux ronronnements qui en émergeaient, j'ai supposé que Rolf et un chat ou deux faisaient également partie du lot. Pas parce qu'ils avaient peur, mais parce que pour les chats, c'était l'endroit le plus chaud de la pièce – avec tous ces corps serrés les uns contre les autres – et pour Rolf, c'était un super jeu. Sur le sol, il y avait deux autres tas : le pouf et Billy.

— Je viens d'aller chez les voisins, a crié Linn du couloir. Les lumières de Michael et Harry marchent très bien. Ce n'est donc pas une coupure générale.

— Et je viens d'allumer les lumières à l'étage, a renchéri Arthur qui redescendait l'escalier. Tout fonctionne.

« Oh-oh ! Comme c'est bizarre, ai-je pensé, en allumant deux autres bougies. Pourquoi un esprit frappeur s'amuserait-il à n'éteindre que les lumières du rez-de-chaussée ? Pourquoi ne pas y aller à fond et tout couper ? »

— Michael a dit que c'était probablement un fusible, a repris Linn en revenant dans le salon. Il cherche des fusibles de rechange pour nous, mais je crois que je vais aller prévenir Papa ; il est au pub au coin de la rue.

— J'y vais, si tu veux ! s'est exclamé Billy, soudain très courageux.

Ou alors il venait de trouver une excuse idéale pour fuir la maison.

— Non ! N'y va pas !

À la surprise générale, c'était Sandie qui avait crié. Waouh ! La peur lui avait ramolli le cerveau si elle croyait que Billy pouvait nous protéger de quoi que ce soit.

— Merci, Billy, mais je vais y aller moi-même. Tu n'aurais pas le droit d'entrer, tu ne pourrais pas faire croire que tu as plus de dix-huit ans… Tu devrais plutôt rester ici et, euh… je ne sais pas, remonter le moral des troupes.

– Hum, d'accord, ai-je entendu Billy marmonner.

– Et toi Rowan, a continué Linn, tu pourrais...

Linn s'est interrompue en se rendant compte que Rowan s'était transformée en compote humaine.

– Bon, laisse tomber, a-t-elle lâché en se détournant de Rowan et compagnie pour se tourner vers moi. Ally, tu peux donner un coup de main à Arthur ? Le compteur est sous l'escalier et il trouvera peut-être le fusible qui ne marche plus si tu l'éclaires avec une lampe électrique.

Je n'avais pas vraiment écouté Linn, mais la partie où elle me demandait d'aider Arthur me convenait parfaitement. Surtout si on devait aller dans le petit placard sous l'escalier.

– Pas de problème, ai-je immédiatement accepté en me dirigeant déjà vers le compteur avant que Linn ne change d'avis.

– Euh... vous connaissez celle du type qui entre dans un pub avec un poisson sous le bras ?

Billy avait commencé la mission que Linn lui avait confiée : faire rire les troupes.

Mais je n'avais pas l'intention de rester pour savoir ce qui était arrivé au type au poisson, j'avais ma propre corvée... enfin, c'était loin d'être une corvée, en fait.

La lampe de l'extérieur éclairait l'entrée par la porte vitrée. Les lumières de l'étage apportaient aussi un peu de clarté. Heureusement pour moi, pas assez pour que l'on y voie suffisamment dans le placard du compteur et j'ai dû tenir la lampe torche pour Arthur. J'étais obligée d'être tout près de lui.

– Euh... tu peux la diriger par là, Ally, s'il te plaît ?

J'ai rougi et changé l'inclinaison de la lampe qui auréolait son magnifique visage.

– Oh, pardon !

Arthur, un tournevis à la main, essayait d'atteindre le compteur. À son poignet, je pouvais voir les lacets de cuir qu'il ne quitte jamais. C'était comme si tous mes sens étaient en éveil ; comme si je sentais mieux les odeurs (et je ne parle pas de l'odeur de renfermé du placard). Je sentais le cuir de son bracelet et les effluves du gel qu'il s'était mis dans les cheveux.

Alors que je me transformais en chien policier, j'ai eu un choc. Et je n'ai pas été la seule.

– Qu'est-ce que c'est que ce truc ? a balbutié Arthur dans l'obscurité.

Une chose poilue nous avait sauté dessus ; j'en avais lâché la lampe électrique.

Mon cœur battait si fort qu'il m'a fallu un moment pour répondre à Arthur. Avec mes nouveaux sens surdéveloppés, je venais de reconnaître ce qui me caressait la joue.

– C'est rien, juste la vieille parka de Papa, elle était accrochée là.

Arthur a poussé un soupir de soulagement. Ou plutôt, j'ai senti Arthur pousser un soupir de soulagement. Et pas seulement son souffle sur mon visage mais sa poitrine se soulever contre la mienne.

— Qu'est-ce qui se passe ? nous a interrompus Linn.

Arthur et moi nous sommes lâchés et décollés l'un de l'autre.

— Je croyais que tu étais… euh… partie, a bredouillé Arthur.

— Je prenais juste mes tennis, je ne vais pas réussir à courir avec mes talons, a répondu Linn en montrant ses pieds que nous ne pouvions pas voir dans la semi-obscurité.

Ma sœur a jeté un coup d'œil dans le placard et son visage a été éclairé par le faisceau de la lampe torche. J'ai remercié intérieurement le dieu des fusibles grillés ou notre esprit frappeur qui m'avait permis de me retrouver dans les bras d'Arthur.

On ne s'était serrés l'un contre l'autre que parce qu'on avait eu peur et ça n'avait pas duré plus de deux secondes, certes, mais c'était la première fois que j'étais aussi proche de l'homme de ma vie et ça, JAMAIS, JAMAIS je ne l'oublierai.

CHAPITRE 15

NORMALEMENT NORMALE

Arthur a très bien réussi à faire comme si de rien n'était, l'autre soir, après l'incident du placard – c'est-à-dire qu'il m'a totalement ignorée.

Il a expliqué à Linn qu'il ne s'y connaissait pas assez en fusibles pour s'en occuper et s'est éloigné pour reprendre ma mission, c'est-à-dire allumer toutes les bougies qu'il trouvait.

C'est pathétique, je sais : nous étions tous terrifiés mais moi, j'étais troublée par l'éclairage romantique des bougies. Ou alors c'est parce que je ne quittais pas des yeux le beau visage d'Arthur.

Dès que nous avons eu assez de lumière, aidés par la super vieille lampe à gaz que Michael et Harry nous avaient apportée, Kyra et Sandie se sont descotchées de Rowan, Tor et compagnie, et sont rentrées dans leurs maisons parfaitement éclairées et sans locataire fantôme. Billy a fait de même. Je n'ai même pas eu l'occasion de raconter à mes copines mon câlin (accidentel) avec Arthur.

J'aurais bien aimé partager ce secret avec elles. En revanche, j'étais bien contente que Linn ne soit pas au courant. Si elle avait surpris ce câlin (oui, accidentel), elle serait devenue folle à l'idée que son meilleur ami risquait d'être contaminé par sa gamine de petite sœur et elle aurait sûrement demandé à Arthur d'ôter tous ses vêtements et de se laver à l'alcool à 90°. Étant donné qu'elle s'est comportée normalement (elle était normalement grincheuse) au petit déjeuner, j'étais sûre qu'elle n'avait rien vu et que mon secret était sauf.

D'ailleurs, tout semblait parfaitement normal ce vendredi matin chez nous. J'ai bien dit « semblait ». Sur le tapis du salon, Colin essayait frénétiquement d'attraper sa queue ; Winslet, sous la table basse, mâchouillait une bouteille de shampoing qu'elle avait piquée dans la salle de bains (et ça lui a fait tout drôle quand ses dents ont – oh, surprise ! – traversé le plastique de la bouteille) ; Tor dessinait sur la table de la cuisine – sur une feuille, évidemment, pas directement sur la table ; Grand-Mère discutait poliment avec un électricien qui était venu résoudre nos problèmes électriques – Papa n'avait pas trouvé ce qui clochait, la veille au soir ; Rolf fouinait dans la caisse de l'électricien à la recherche d'un tournevis, de scotch ou d'un sandwich au bacon.

Mais en réalité, même si tout semblait normal, il y avait des choses bizarres : le dessin de Tor par exemple. Qu'est-ce qu'il représentait ? Un bateau ?

Une voiture ? Une fusée ? Un cerf-volant ? Un orni-
thorynque ? Non, rien de normal dans ce genre-là.
Il dessinait un fantôme collé au plafond d'une pièce
en train de dévisser des balles (« Des ampoules ! »
m'avait corrigée Tor, vexé).

D'ailleurs, comment les choses pourraient-elles
être normales avec un esprit frappeur dans la maison ? Hier soir, Linn et notre voisin Michael avaient
affirmé que nos fusibles étaient en parfait état ; en
rentrant, Papa l'avait confirmé. Alors il faisait quoi,
l'électricien ? On n'aurait pas mieux fait d'appeler
un prêtre ou un exorciste ?

— Est-ce que je peux encore dormir avec toi, ce
soir, Ally ? m'a demandé Tor en levant les yeux de
son dessin.

J'ai secoué la tête.

— Non, Tor, pas ce soir. J'ai invité Billy et les
filles. On va dormir dans le jardin.

J'avais hâte. Nous serions tous entassés dans une
tente à six places – Billy ramperait jusqu'à la sienne
où il serait tout seul, au moment de dormir –, ça
allait être super !

Une bonne partie de rigolade avec les filles (et
Billy), c'était très exactement ce dont j'avais besoin
pour me changer les idées.

Tor m'a regardée avec des yeux ronds.

— Vous allez dormir *dehors* ?

— Oui, ai-je répondu en me disant qu'il fallait que
je demande de l'argent à Grand-Mère pour aller
acheter des chips.

– Toute la nuit ? s'est étranglé Tor.

Toute la nuit.

La nuit.

La nuit et l'obscurité.

Hmmm… Pourquoi est-ce que je n'y avais pas pensé avant ? Quand nous aurions éteint les lampes torches, rien ne nous protégerait, mes amis et moi, de l'obscurité de la nuit à part une minuscule toile de tente. IIIIIK ! Ce n'était peut-être pas une si bonne idée que ça !

– Ally, tu peux décrocher, s'il te plaît ? m'a crié Grand-Mère du haut de l'escalier.

– Oui, oui.

J'ai jeté un coup d'œil vers l'étage et tout ce que j'ai pu apercevoir de l'électricien, c'était ses pieds qui dépassaient de la chambre de Tor. Hmm, bizarre.

– Salut, Ally, a marmonné une voix abattue qui ressemblait à celle de Billy.

– Qu'est-ce qui t'arrive ? lui ai-je demandé.

Habituellement, Billy avait la voix de… Billy, quoi. La voix plutôt joyeuse d'un type à côté de la plaque, pénible… (surtout quand il téléphone la bouche pleine) mais pas une voix d'outre-tombe.

– Euh… vous avez passé une bonne soirée, hier soir, après mon départ ?

Pourquoi Billy posait-il cette question ? Est-ce que Billy ou un des autres avait vu ce qui s'était (accidentellement – non, je n'ai pas oublié) passé entre Arthur et moi dans le placard ? En avaient-ils parlé entre eux ?

126

Argh !

– Parce que moi, j'ai passé une super soirée, a continué Billy avant que j'aie le temps de répondre.

– Ah bon ? Qu'est-ce que tu as fait de si intéressant ? ai-je demandé, follement soulagée.

Je sais que j'ai affirmé il n'y pas longtemps que Billy et moi n'avons jamais eu aucun secret l'un pour l'autre mais… j'ai menti. Je ne lui ai jamais dit que j'étais amoureuse d'Arthur, il serait tout le temps en train de me taquiner.

– Je me suis fait arrêter, a marmonné Billy.

– Quoi ?

– Enfin, je n'ai pas vraiment été arrêté, les policiers m'ont surtout mis en garde.

– Billy, de quoi tu parles ? ai-je crié. Tu étais à la maison, hier soir, tu n'as pas pu te faire arrêter ou je ne sais quoi !

– Après être parti de chez toi, j'ai appelé Steve pour lui raconter ce qui s'était passé, les lumières et tout… Mais Hassan était avec lui, ils s'ennuyaient et il n'était pas si tard alors je les ai retrouvés et…

Oh-oh. Je croyais avoir deviné ce qui allait suivre.

– On a voulu s'amuser et on a recommencé le truc avec les nains de jardin.

– Oh, Billy ! ai-je grogné.

– On était juste en train d'enfiler un vieux pantalon d'Hassan à un des nains quand une voiture de police est arrivée. Il nous ont emmenés au commissariat et ils nous ont gardés des heures !

– Oh, Billy ! ai-je grogné à nouveau.

J'étais tellement navrée que je ne trouvais pas mes mots.

– Je suis sûr que quelqu'un du voisinage a appelé la police.

Je suppose que voir dans son jardin trois silhouettes en train de faire des trucs bizarres avec un pantalon justifie que l'on appelle la police. Mais Billy n'avait pas besoin que je le lui fasse remarquer : la police avait dû s'en charger.

Et sans doute – oh, cépavrai ! – les parents de Billy !

– Billy, ton père et ta mère ! Qu'est-ce qu'ils ont dit ?

Le père de Billy, ça va encore, je crois. Il ne parle jamais beaucoup, il a toujours le nez collé dans le journal. Mais sa mère ! Elle est tellement snob que je n'arrive pas à l'imaginer apprenant que son fils a été arrêté par la police.

– Hum, c'est pour ça que je t'appelle, Al…

– Vas-y, dis-lui ! a sèchement lancé une voix derrière lui.

Ah, c'est pour ça que Billy n'avait pas la même voix que d'habitude ! Sa mère était avec lui.

– Je suis… euh… puni… pour toujours !

– Cesse tes blagues stupides, Billy ! Passe-moi le combiné ! Ally ?

– Bonjour madame Stevenson, ai-je répondu prudemment en espérant qu'elle ne pensait pas que j'avais quoi que ce soit à voir avec les méfaits de son fils.

– Bonjour Ally. Bon, tu as entendu Billy, il t'a raconté ses dernières bêtises idiotes. Encore plus idiotes que d'habitude, a-t-elle débité comme une mitraillette. Son père et moi n'avons pas eu d'autre choix que de le punir pour un mois. Ce qui veut dire qu'il ne pourra pas venir chez toi ce soir !

– Ah bon, ai-je répondu.

Je n'avais écouté que la moitié de ce qu'elle avait dit. Mon attention avait été attirée par ce qui se passait au premier étage.

– Je suis sûre qu'une jeune fille raisonnable comme toi comprend très bien la gravité des actes de Billy ! a continué de pépier Mme Stevenson.

Qu'est-ce que l'électricien était en train de fabriquer ? Et pourquoi Grand-Mère appelait-elle Tor ?

– Pardon, madame Stevenson, ma grand-mère m'appelle, je dois y aller, ai-je menti.

J'avais hâte d'éloigner mes oreilles des récriminations de la mère de Billy (adressez-vous à Billy, pas à moi !) et de monter voir ce qui se passait.

Je venais à peine de raccrocher quand Tor est passé devant moi comme une fusée. Je lui ai emboîté le pas et nous avons monté les marches quatre à quatre.

– Tarzan ! a crié Tor en voyant le petit animal qui gigotait comme un beau diable pendant que l'électricien le tenait par la queue.

– Ce rat est à toi, fiston ?

– C'est pas un rat ! C'est une gerboise ! a recti-fié Tor, vexé, en prenant doucement le rongeur couvert de poussière dans ses mains.

– Eh bien en tout cas, rat ou gerboise, nous tenons le coupable, a déclaré l'électricien, il a coupé net les câbles d'alimentation des lumières. Une chance qu'il n'ait pas été électrocuté !

Grand-Mère a regardé Tor par-dessus ses lunettes.

– Tor, tu avais remarqué que Tarzan n'était plus dans sa cage ?

Tor a secoué vigoureusement la tête et a couru dans sa chambre pour recompter toutes ses ger-boises et voir s'il y avait un trou dans une cage.

– Vous avez dû entendre des drôles de bruits, ces derniers jours, a lancé l'électricien en époussetant son pantalon.

– Oui, me suis-je exclamée, des grattements et des frottements.

L'électricien a haussé les épaules.

– C'était vot'gerboise. Elle courait dans les cof-frages.

– Tu vois, Ally, a souri Grand-Mère, je t'avais dit qu'il y a une explication rationnelle pour tout !

Pendant une seconde bénie, j'ai cru ma grand-mère. Et puis je me suis rappelé le tableau retourné, les boîtes de conserve à l'envers aussi, les clés de Ro dans le congélateur, Winslet habillée en fantôme, le lait vert, la recette de sorcellerie punaisée dans la cuisine !

Une gerboise perdue dans les murs pouvait-elle être responsable de tout ça ?

Oui.

Du moins, c'est ce que j'aurais bien voulu croire.

CHAPITRE 16

LA SUPER (HUM, HUM) SOIRÉE-PYJAMA

— ... Et Tor a dit que Tarzan avait dû s'échapper en écartant les barreaux de sa cage !

— Mais attends, Ally, m'a interrompue Kellie en serrant contre sa poitrine son sac de couchage bleu marine, si Tarzan est sorti, pourquoi les autres gerboises ne se sont pas échappées elles aussi ?

— Apparemment, Beano et Dandy sont trop gros, ai-je expliqué. Tor dit qu'ils auraient dû se mettre au régime s'ils avaient voulu passer entre les barreaux.

— Mais attends, Ally, a lancé Jen à son tour en se trémoussant dans son sac de couchage, est-ce que Tor n'est pas complètement maniaque avec ses animaux ? Comment ça se fait qu'il n'ait pas remarqué que l'un d'entre eux s'était échappé ?

J'ai haussé les épaules.

— Il est un peu perturbé depuis la mort de son poisson rouge.

Kyra a froncé les sourcils.

– Attends, attends ! Pourquoi est-ce qu'on fait toute une affaire de cette histoire de gerboise et de poisson rouge ? On est là pour rigoler ! C'est censé être une fête !

Et moi, je croyais que ça devait être MA soirée-pyjama. Mais les parents de Kyra l'avaient déposée plus tôt à la maison et elle avait tout pris en main. En otage, je devrais dire.

Elle avait préparé de quoi grignoter, elle avait décidé de l'emplacement de la tente géante de Chloë, elle avait choisi les places de chacun dans la tente et, maintenant, elle était sur le point de nous dire de quoi nous devions parler. Non mais c'est vrai, quoi, on peut quand même parler de ce qu'on veut à une soirée-pyjama, non ?

– Bon, alors de quoi tu veux parler, Kyra ? a demandé Chloë.

C'est le moment que Winslet a choisi pour dresser les oreilles et grogner.

Kyra s'est agenouillée et nous a regardées les yeux pétillants.

– On n'a qu'à se raconter des histoires de fantômes ! C'est ce qu'on fait dans les soirées comme ça !

Sandie m'a jeté un regard horrifié, mais qu'est-ce que j'y pouvais ? Kyra avait kidnappé cette soirée et j'étais impuissante face à ce coup d'État. Je me suis demandé si Sandie pensait la même chose que moi : c'est-à-dire si elle regrettait que Billy ne soit pas là. Il est aussi lourd que Kyra – de façon très différente –, mais il nous aurait sûrement fait faire des trucs marrants, du style établir le top 10 des meilleures tortures à infliger aux profs (« Tout le monde dans la classe fait semblant d'avoir une crise d'éternuements ; ça, ça les tue ! »). Mais je me gourais probablement du tout au tout : 1) Sandie déteste Billy et 2) Billy aurait sûrement trouvé ça très drôle qu'on se raconte des histoires de fantômes.

Salma a pris un Snickers miniature sur le tas de bonbons au milieu de la tente.

– Je suppose que tu en as une bonne à raconter, a-t-elle ironisé à l'attention de Kyra.

Rolf avait été mis dehors après avoir dévoré trois Milky Way – avec le papier – et un demi-tube de Pringles barbecue.

– Ben oui ! s'est exclamée Kyra. Vous êtes prêtes ? Vous êtes bien installées ?

– Allez, vas-y, a ricané Chloë en lui balançant un nounours à la guimauve.

– C'est parti, a lancé Kyra en retirant le nounours de sa queue-de-cheval pour le tendre à Winslet. Je vous préviens, c'est une histoire vraie.

Salma a écarquillé les yeux.

– Ah oui ? Et comment tu la connais ?

– Je la connais, c'est tout, a répondu Kyra d'une voix lente en levant la lampe de poche vers le haut de la toile.

Des ombres étranges se sont étirées derrière nous.

– Maintenant, promettez de ne pas m'interrompre.

Tout le monde a grommelé ou crié « oui » – selon son degré d'enthousiasme.

– Très bien, a commencé Kyra, c'est l'histoire de deux jeunes Américains, un garçon et une fille, qui sortent ensemble. Ils vivent dans un tout petit village loin de tout. Ce week-end-là, ils ont décidé d'aller à la ville la plus proche passer une soirée en boîte.

– C'est où exactement en Amérique ? a demandé Kellie.

– On s'en fiche, a lancé Jen pour la faire taire.

– Mais c'est grand l'Amérique ! Je veux juste savoir où l'histoire se passe ! Ma tante Vivette vit à Chicago, alors…

– C'était pas à côté de Chicago, compris ? a coupé Kyra. C'était quelque part aux États-Unis, c'est tout.

Kellie a haussé les épaules et s'est repelotonnée dans son sac de couchage.

– Bon, a repris Kyra, après la boîte, ils veulent rentrer chez eux, mais il y a une terrible tempête et la route qui mène à leur maison est coupée.

– Par quoi, a pépié Jen, un arbre ?

– J'en sais rien, moi, on s'en fiche ! s'est fâchée Kyra.

– Bon, d'accord, a admis Jen d'une petite voix timide.

– Donc la route est bloquée par quelque chose et ils doivent prendre une petite route qui traverse une forêt sombre.

Si je n'avais pas été aussi effrayée, j'aurais éclaté de rire en entendant la voix caverneuse que Kyra venait de prendre.

– Et tout à coup, bam, leur voiture tombe en panne au milieu de nulle part et ils ne savent pas quoi faire.

– Ils auraient pu téléphoner, a suggéré Salma.

– Cette histoire s'est passée il y a longtemps, bien avant les premiers téléphones portables, a répliqué Kyra, les dents serrées.

– Ah, a marmonné Salma.

– Donc ils sont en panne, a repris Kyra. Le garçon dit à la fille : « Tu restes ici, je retourne vers la route principale pour trouver de l'aide. » Il s'en va. La fille l'attend pendant hyper longtemps et, tout à coup, elle entend « boum, boum » sur le toit de la voiture.

Sandie avait quasiment disparu sous son duvet.

– Boum, boum, les coups sur le toit recommencent, a continué Kyra, les yeux écarquillés, en tapant du plat de la main sur le sol pour faire le bruit. Boum, boum, la fille ne sait pas ce que c'est, mais...

– ... Mais, a interrompu Salma en prenant un Mars, il se trouve que c'est la tête de son petit ami, qui a croisé un tueur dans la forêt en allant chercher de l'aide.

Kyra a pincé les lèvres et jeté un regard noir à Salma qui a haussé les épaules.

– Quoi ? s'est exclamée Salma. J'ai entendu cette histoire il y a des siècles, quand j'étais toute petite. Ma sœur me l'a racontée quand on dormait dans la même chambre.

Ce qui voulait dire que l'histoire vraie de Kyra n'était pas aussi vraie que ça, mais elle avait quand même fichu la frousse à tout le monde dans la tente. Mon histoire de gerboise, au moins, n'avait pas eu cet effet.

– J'ai envie d'aller faire pipi, a dit Jen en émergeant de son sac de couchage comme une tortue de sa carapace.

– Moi aussi, a dit Kellie.

– Mais j'ai peur de sortir, a ajouté Jen.

– Moi aussi, a marmonné Kellie.

– Papa a laissé les lumières allumées, leur ai-je fait remarquer en soulevant un pan de la tente pour leur faire voir.

– Si tu viens avec moi, j'aurai moins peur, a dit Jen à Kellie.

En moins d'une seconde, elles se sont levées et ont couru en criant vers la cuisine.

Et moins d'une seconde plus tard, elles ont poussé un hurlement et se sont précipitées dans la tente la tête la première.

– Quoi, qu'est-ce qui s'est passé ? ai-je crié, prise de panique.

– Un… un… un fantôme ! a répondu Kellie en claquant des dents.

– Sur le m… m… mur, a bafouillé Jen.

C'était mon jardin et, terrifiée ou pas, j'étais décidée à aller voir ce qui se passait avant que Kyra ne me devance aussi sur ce coup-là.

Au début, pendant un instant durant lequel un frisson a parcouru ma colonne vertébrale et m'a retourné l'estomac, j'ai cru apercevoir le même fantôme que Jen et Kellie. Mais je me suis reprise et j'ai reconnu la silhouette sur le mur. C'était…

– Tabitha ! ai-je ri en retournant dans la tente. C'est juste Tabitha.

– C'est qui, Tabitha ? a demandé Jen.

Elle ouvrait tellement grand les yeux que, pour une fois, ils avaient une taille normale au lieu de ressembler à des yeux de poupée.

– C'est le chat des voisins. Une vieille persane, ai-je expliqué.

– Salut les filles !

J'ai sursauté et toutes les filles en ont fait autant en entendant cette voix grave. Ce qui était ridicule, vu que cette voix – et le visage souriant qui allait avec – m'était aussi familière que celle de mon père. Pour une pure et simple raison : *c'était* celle de mon père.

– Pardon, je ne voulais pas vous faire peur, s'est-il excusé, c'est juste que j'ai entendu des cris et je me suis dit qu'il valait peut-être mieux que je vienne jeter un coup d'œil.

– T'inquiète, Papa, tout va bien, ai-je réussi à lui répondre.

– Parfait. Mais il est tard et je pense que vous devriez faire un peu moins de bruit pour ne pas déranger ou inquiéter les voisins.

Aucune d'entre nous n'a répondu. Nous étions trop occupées à faire ralentir le rythme endiablé de nos cœurs respectifs.

– Peut-être que vous pourriez continuer votre camping… à l'intérieur, a repris Papa pendant que Winslet essayait de lui lécher le visage.

Il avait à peine fini sa phrase qu'il a failli être renversé par un troupeau de filles qui couraient vers la maison en faisant traîner leur sac de couchage derrière elles.

CHAPITRE 17

L'EFFRAYANT DÉFI DE KYRA

Nous nous étions réveillées affreusement tôt pour des filles qui s'étaient endormies affreusement tard.

On aurait peut-être dormi plus longtemps (même si on était tellement serrées dans ma chambre qu'on n'arrêtait pas de se donner des coups de pied dans le nez) si Tor n'avait pas fait irruption, accompagné des deux chiens, à huit heures et demie pour me demander si je pensais qu'il devrait faire examiner Tarzan par notre voisin Michael après le traumatisme qu'il venait de vivre.

(« Euh… non », ai-je répondu ; la dernière fois que j'étais allée voir la gerboise de Tor dans sa cage, elle avait l'air d'avoir retrouvé un solide appétit – elle mangeait dans sa gamelle *et* dans celle de Beano et Dandy. Elle était cinglée, ça oui, mais sûrement pas malade.)

Après que j'ai (fermement) demandé à mon petit frère et aux deux chiens fouineurs de sortir de ma chambre (Winslet reluquait la barrette rose fluo de Jen et Rolf reniflait frénétiquement à la recherche d'un reste de Pringles), mes amies ont commencé à grogner, bâiller et, à neuf heures et demie, elles avaient fini leurs céréales, plié leur sac de couchage et s'entassaient avec la tente géante dans la voiture de la mère de Chloë.

Toutes sauf Kyra, évidemment, qui restait avec moi pour le week-end.

– Tu sais quoi ? m'a-t-elle bâillé au visage dès que les filles ont disparu. Je crois que je vais aller me recoucher.

Ha ! Kyra avait pris la soirée en otage (avec les résultats désastreux que l'on connaît) mais, ce matin, c'est moi qui avais les cartes en main ! Je ne la laisserais certainement pas échapper au rituel du samedi matin.

Tor a souri jusqu'aux oreilles en nous montrant une balle couverte de picots en caoutchouc.

– Regardez !

– Mignon, ai-je acquiescé sans vraiment regarder.

J'ai posé nos achats sur le comptoir.

– T'as vu, Kyra, t'as vu ?

– Oui, Tor, j'ai vu.

Kyra a affiché un sourire forcé tout en montrant son irritation en tapotant le comptoir du bout des ongles.

Tor est reparti comme une flèche pour remettre la balle à sa place et a commencé à tripoter une grosse araignée en peluche accrochée à un élastique.

– Ally, s'te plaît, a sifflé Kyra, si je dois m'intéresser encore une fois à un jouet pour chats, je hurle !

Pauvre Kyra (et je ne dis pas ça très souvent), Tor était tellement excité par la présence d'une nouvelle venue à notre sortie du samedi qu'il lui avait offert une visite guidée du magasin pour animaux. Ce que Kyra trouvait aussi palpitant qu'une interro de maths. J'ai essayé d'occuper mon frère.

– Tor, viens prendre un sac.

Je lui ai tendu un sac de paille – pour servir de litière à ses hamsters, gerboises et souris, pas pour nourrir un cheval ou un singe. Bien qu'avoir un singe à la maison soit n° 3 sur la liste des plus chers désirs de Tor, juste après 1) avoir un dauphin et 2) une musaraigne-éléphant à petites oreilles (ne me demandez pas ce que c'est).

– On ne peut pas partir maintenant, avant qu'il me montre les différentes graines pour perruches ? a désespérément tenté Kyra.

– Mais oui, ai-je acquiescé en récupérant ma monnaie. On va aller boire un chocolat chaud maintenant. Tor, tu pars devant ?

Deux minutes plus tard, nous étions assis près d'une fenêtre à notre café habituel, à deux pas du magasin pour animaux, et nous regardions les gens autour de nous pendant que nos tasses fumaient sur la table.

Tor était plongé dans le magazine sur les animaux qu'il venait d'acheter et Kyra et moi restions silencieuses, trop fatiguées pour engager une conversation.

Avec les filles, nous avions continué à papoter jusque tard dans la nuit, en essayant de nous raconter des histoires drôles. Comme si nous avions eu besoin d'un antidote à l'histoire de Kyra, et à la panique qui avait suivi l'apparition de Tabitha, la chatte des voisins. On avait si bien réussi à se changer les idées qu'on s'était mises à rire comme des folles jusqu'à ce que Linn vienne nous demander de nous taire. Ce qui nous avait fait rire encore plus, évidemment – enfin, dès que nous avions été sûres qu'elle était retournée dans sa chambre.

Silencieuses et perdues dans nos rêves, c'était loin d'être désagréable. Mais évidemment, Kyra a tout à coup ouvert la bouche pour dire un truc vraiment inquiétant :

– Tu sais quoi ? a-t-elle annoncé en tapant du plat de la main sur la table (Tor et moi avons sursauté). J'ai une excellente idée pour ce soir !

– Euh… on ne va pas regarder un film chez Sandie ? lui ai-je rappelé.

Nous devions louer un vieux film avec Jim Carrey qu'aucune de nous trois n'avait vu.

– On va s'ennuyer ! a coupé Kyra.

Ses yeux étincelaient dangereusement.

– Dis toujours ton idée.

– Eh bien… Oh, attends !

144

Kyra a fouillé dans sa poche et a sorti une poignée de petites pièces. Elle les a mises dans la main de Tor qui l'a regardée sans comprendre.

– Tu devrais aller acheter ce truc, tu sais, la balle avec des bidules en caoutchouc, le jouet pour chats que tu as vu tout à l'heure…

Tor a souri jusqu'aux oreilles avant de se retourner vers moi pour vérifier que j'étais d'accord.

– Allez, va… ai-je lâché.

Mais Tor était déjà à la porte avant que j'aie eu le temps de finir ma phrase.

J'ai froncé les sourcils en essayant de savoir pourquoi Kyra s'était tout à coup montrée si généreuse.

– C'est gentil de ta part.

– Je ne voulais pas qu'il entende cc que je vais dire. Je ne veux pas corrompre son jeune esprit, m'a souri Kyra.

Gloups. Qu'est-ce qu'elle allait me sortir ?

– Tu vois, on s'est comportées comme des débiles à se faire peur pour rien !

– C'est vrai ! ai-je acquiescé.

En en reparlant au petit déjeuner ce matin avec les filles, on s'était quand même senties un peu gênées.

– Ce soir, on pourrait se faire peur pour de vrai !

– Quoi ? me suis-je écriée.

– On va aller se balader dans Queen's Woods. Jusqu'à la nuit tombée.

Queen's Woods. On n'ose même pas y entrer en plein jour. C'est très joli comme endroit et,

145

euh… très boisé, quoi ! Mais bon. Le parc est plein d'écureuils, on s'y balade en donnant des coups de pied dans les feuilles mortes, on y emmène les chiens, mais le bois ! Il est tout sombre, avec une vieille maison genre *Hansel et Gretel* entourée d'une grille rouillée couverte de lierre. Si un réalisateur cherche un endroit où tourner un film d'horreur, c'est parfait !

— Qu'est-ce que tu en penses ? m'a demandé Kyra.

— Je crois que je préfère aller chez Sandie voir le film avec Jim Carrey, lui ai-je répondu d'un coup.

Kyra a écarquillé les yeux de surprise.

— Ah ouais ? Bouge pas, je vais voir si j'ai donné suffisamment d'argent à Tor pour qu'il achète ce qu'il veut.

Et elle est sortie du café en courant, me laissant complètement paumée en compagnie de trois tasses de chocolat chaud. Depuis quand Kyra avait-elle endossé le rôle d'ange gardien de Tor ? Depuis quand s'intéressait-elle au choix de jouets pour les chats ? Et depuis quand laissait-elle tomber une idée aussi facilement ?

Je me triturais encore le cerveau quand Tor est revenu, un immense sourire aux lèvres. Il agitait un sac en papier contenant probablement un objet rond et couvert de picots en caoutchouc.

— Où est Kyra ? lui ai-je demandé en remarquant l'absence d'une certaine fille mince, jolie et

métisse. (Est-ce que je n'ai pas oublié un qualifi-
catif ? Enquiquineuse, peut-être ?)

Tor a hoché la tête.

Elle est dehors, elle téléphone.

– À qui ? ai-je voulu savoir en collant mon nez
contre la vitre pour essayer de la voir.

Elle allait et venait sur le trottoir, l'oreille collée
à son téléphone, en souriant et en passant les doigts
dans sa queue-de-cheval. Elle m'a vue et m'a
adressé un petit signe joyeux. Ou moqueur ?

– À Kellie, m'a renseignée Tor en observant de
plus près son nouveau jouet, je l'ai entendue.

– Kellie ? Mais on l'a vue il y a à peine une
heure !

Au moment même où j'ai prononcé cette phrase,
la vérité m'est apparue. Kyra était sortie pour téléphoner aux filles et les persuader qu'une balade
dans le bois de Queen's Woods ce soir serait super
drôle. Elle n'avait aucune chance. Aucune des filles
n'aurait envie de ce genre de truc.

Euh… enfin, je croyais.

– Tor, tiens, voilà de l'argent. Va demander un
Coca au serveur là-bas.

– Cool, s'est exclamé Tor en lui prenant les
pièces. (À cet instant précis, Tor a dû souhaiter de
toutes ses forces que Kyra emménage définitive-
ment à la maison.)

– Tu sais quoi, Ally ? Tout le monde est d'accord
pour une balade dans le bois de Queen's Woods ce

soir, m'a annoncé Kyra en se rasseyant. T'es OBLIGÉE de venir aussi !

– Comment tu as réussi à leur faire dire oui ?

– Je les ai défiées ! a expliqué Kyra avant de boire (bruyamment) une gorgée de son chocolat.

– Sandie a accepté de relever un défi ? ai-je dit, sceptique.

Sandie-la-super-timide. Elle accepte souvent de faire des trucs qu'elle n'a pas envie de faire parce qu'elle n'ose pas dire non, mais relever un défi ! C'est vraiment pas son genre. Elle n'est pas assez courageuse – et surtout pas assez stupide – pour tomber dans ce genre de piège.

– Non. Pas elle, a précisé Kyra. Sandie a accepté parce que je lui ai dit que tout le monde venait. Je lui ai dit que tu venais aussi…

– Mais je ne veux pas ! ai-je protesté.

– Quoi ? Tu vas rester enfermée chez toi pendant qu'on sera toutes ensemble ? a ri Kyra. Ça m'étonnerait !

– Mais…

– Chut, Tor revient par ici. On ne peut pas parler de ça devant lui.

Cépavrai ! Kyra avait encore gagné. Elle avait encore pris la soirée en otage.

CHAPITRE 18

PROMENONS-NOUS DANS LES BOIS...

— J'ai froid aux fesses ! Cette pierre est gelée !

— T'as qu'à t'asseoir sur ta veste, a répondu Kyra à Salma.

— On pourrait pas marcher un peu... ?

— Non, Sal, a coupé Kyra, on a décidé de rester assis ici jusqu'à ce que le soleil se couche.

— Comme dans un cercle mystique, a ricané Jen en citant les mots que Kyra avait prononcés pendant que nous venions ici.

Ici. C'était quoi, d'abord, ici ? Au beau milieu du bois, cernés d'un rideau d'arbres qui nous rendait tout paysage invisible.

Bizarrement, nous étions juste à l'endroit où quelqu'un avait, il y a longtemps (dans les années 50 ou 60 d'après Papa, il ne se rappelait plus très bien), décidé d'installer une pataugeoire pour les enfants et un kiosque de glaces et de boissons fraîches.

Le kiosque est recouvert par la végétation, à présent, et la pataugeoire est pleine de bouillasse. C'est un peu triste, mais si on y pense, installer une pataugeoire et un kiosque à glaces au milieu d'un bois sombre et lugubre était une idée de fou. C'est à peu près aussi malin que de faire un bac à sable au milieu du cercle polaire.

Et pour ce qui est d'avoir envie de patauger ou de manger une glace à cet endroit, ça ne risquait vraiment pas d'arriver : les arbres sont tellement serrés les uns contre les autres que le soleil, avec la meilleure volonté du monde, n'avait aucune chance de darder le moindre rayon par ici. À mon avis, il ne faisait jamais chaud dans cette forêt, même pendant les plus chaudes journées de canicule. L'atmosphère était glacée…

– Je suis frigorifiée, a grommelé Sandie en se rapprochant de moi.

Nous étions assises sur le bord de la pataugeoire.

– T'aurais dû te couvrir un peu plus, l'a rabrouée Chloë, un T-shirt, c'est pas assez quand on décide de rester dehors la nuit !

Billy, qui était assis de l'autre côté de la pataugeoire, s'est levé, a dénoué le sweat qu'il avait autour de la taille et l'a tendu à Sandie.

– Tiens.

C'était super mignon de sa part. Un peu comme quand Sandie l'avait tapé dans le dos la fois où il avait failli s'étrangler. Ces deux-là ne se supportent pas mais, quand ils font un tout petit effort, je les trouve adorables.

– Merci, a murmuré Sandie en enfilant le gilet.

– Pas de problème, transpire pas d'dans c'est tout, a rétorqué Billy avec son manque de délicatesse habituel.

Sandie lui a jeté un regard en coin en remontant la fermeture Éclair jusqu'en haut.

– Et casse pas la fermeture Éclair, a souri Billy.

– Bon, tu veux que je te le rende ? a lancé Sandie d'un ton (Incroyable !) cassant en faisant mine de retirer le gilet.

– Non ! a protesté Billy, vexé.

Comme d'habitude : il sort bêtise sur bêtise et après il s'étonne que les gens n'apprécient pas !

– Si ma mère savait où je suis, elle deviendrait folle, a marmonné Kellie.

– C'est pour ça que tu lui as dit que tu allais chez Sandie, non ?

Kellie a regardé Kyra en fronçant les sourcils.

– Chez Sandie ? J'étais pas censée lui dire qu'on était chez Chloë ?

– Kel, ça n'a aucune importance, ce que tu lui as dit, a soupiré Chloë, de toute façon on n'est ni chez Sandie ni chez moi, alors !

Argh ! C'était un des pires aspects de cette soirée (même si ce que je détestais le plus était d'être ici). J'avais menti à Papa. On avait tous menti à nos parents.

– Hé, il fait nuit maintenant, non ? a suggéré Jen avec espoir.

Elle voulait évidemment dire : « Hé, il fait nuit maintenant, on a relevé le défi, on pourrait peut-être rentrer à la maison ? »

— Non, pas assez, a décidé Kyra en regardant le haut des arbres derrière lequel se découpait un ciel noir et étoilé mais encore entrecoupé de pointes d'orangé.

J'ai distingué la silhouette de Billy qui haussait les épaules. Il a appuyé sur le bouton de sa montre, ce qui a éclairé son visage.

— Bon, dans deux minutes, il fera complètement nuit. On fera quoi après ?

— T'es bien pressé, s'est moquée Kyra. T'as un rendez-vous ?

En fait de rendez-vous, Billy n'aurait surtout pas dû être là du tout. Il aurait dû être entre les quatre murs de sa chambre (où il était consigné un mois entier). Mais le plan de ses parents comportait un inconvénient majeur : s'ils voulaient être sûrs que Billy reste puni, ils étaient obligés de rester chez eux aussi. Une journée seulement après avoir condamné leur fils à la réclusion, ils avaient décidé de sortir voir une pièce de théâtre. Billy en avait profité pour se carapater.

— Vous allez faire quoi ? s'était-il exclamé quand je lui avais téléphoné dans l'après-midi.

Une heure après le départ de ses parents, Billy avait couru nous retrouver devant le bois.

— Je dois être rentré avant mes parents, tu te souviens ? a lancé Billy à Kyra. Alors si t'as prévu autre chose pour après, je veux bien qu'on le fasse maintenant.

— D'accord ! Allons-y, a cédé Kyra en se levant et en allumant ma lampe électrique.

Je me demandais bien ce qu'elle avait encore mijoté.

— On va par là, a-t-elle ordonné en montrant la direction opposée à l'entrée du parc avec sa torche. Vers la maison de Hansel et Gretel. On s'approchera et on regardera par la fenêtre.

— Et après ? ai-je demandé, la gorge serrée à l'idée de m'approcher de cette affreuse maison.

Elle était vide depuis des années, elle tombait en ruine et, même si avant c'était un café hippie ou je ne sais quoi, j'avais la trouille d'y aller.

— Après ? On rentrera à la maison, a répondu Kyra tout naturellement, comme si une promenade dans une vieille baraque au milieu de la nuit, c'était aussi normal que d'aller acheter des bananes au supermarché.

— Bon, ben on y va, alors, a dit Chloë en allumant sa lampe torche.

Tout le monde l'a imitée.

— Passe devant, Kyra, a-t-elle ajouté.

Et notre bande d'explorateurs s'est mise en marche en ricanant nerveusement et en se serrant les uns contre les autres pour se rassurer.

— Stop ! s'est soudain étranglée Salma.

Nous lui sommes tous rentrés dedans.

– Y a une lumière ! Là, devant ! C'est quoi ? a crié Salma.

– C'est des phares de voiture, espèce d'idiote, a grogné Chloë en entendant le rugissement d'un moteur. Y a une route juste là, tu te rappelles ?

On s'est réagglutinés et on a repris notre marche. Rapidement, le chemin s'est rétréci et nous a obligés à nous mettre à la queue leu leu. Des feuilles et des branches nous effleuraient les cheveux.

– Tu me lâches pas la main, hein, tu promets, m'a murmuré Sandie en m'agrippant les doigts.

– Promis, ai-je soufflé.

– Stop !

À l'injonction de Kyra, nous nous sommes figés sur place.

– Quoi ? a demandé quelqu'un.

J'ai cru reconnaître la voix de Kellie.

– Écoutez, a susurré Kyra.

Nous avons retenu nos souffles.

Il y a eu comme un frottement et puis plus rien.

Puis à nouveau le même bruit, plus près cette fois.

Et tout à coup, le battement s'est accéléré, comme si quelque chose courait vers nous…

Plus tard, quand mon cerveau s'est remis à fonctionner normalement, j'ai compris que La Chose était sans doute un renard ou un lapin, un écureuil ou un rat. En tout cas rien de surnaturel. Et le pauvre animal, quel qu'il soit, courait probablement pour nous fuir (c'est vrai : quand on est un

154

petit animal, on a plutôt tendance à fuir sept grands imbéciles qu'à courir vers eux, non ?).

Mais à ce moment précis, j'étais sous le choc, mes neurones ne répondaient plus, alors j'ai fait comme tout le monde : j'ai tourné les talons et j'ai couru à toutes jambes vers la sortie du bois.

Enfin, j'ai aperçu les lampadaires de la rue et là, je me suis rendu compte que je n'avais pas tenu ma promesse : j'avais lâché la main de Sandie.

Malgré ma peur, j'ai éclairé autour de moi.

– Sandie ? ai-je appelé désespérément en voyant Kellie et Jen courir vers moi.

– Ça va, elle est avec moi ! a répondu Billy quelque part derrière moi.

Oui, ils étaient là. Ils avaient suivi le mouvement. Mais à ce moment-là, j'ai aperçu la chose la plus effrayante que j'avais jamais vue…

Billy et Sandie étaient dans les bras l'un de l'autre !

CHAPITRE 19

HALÈTEMENTS, ÉVANOUISSEMENTS ET GROS CÂLINS

Cette balade dans la forêt avait semblé durer une éternité. Mais après que nous avions dit au revoir – un peu gênés – à Chloë, Jen, Salma et Kellie, Billy nous avait annoncé combien de temps précisément cette balade avait duré :

– Six minutes.

– C'est impossible. C'était beaucoup plus long que ça ! avait protesté Kyra.

Billy avait secoué la tête.

– Non, non. J'ai regardé ma montre en arrivant et j'ai vérifié quand nous sommes sortis.

« Enfin, seulement après avoir lâché Sandie », ai-je pensé. À présent, son bras avait repris sa place normale.

Je n'en pouvais plus. Il fallait que je demande à Sandie ce qui s'était passé. Mais ce soir, ce ne serait pas possible, pas avec Billy et Kyra dans les parages. De toute façon, ils s'étaient serrés l'un contre l'autre mais ça ne signifiait sans doute pas grand-chose… C'était comme Arthur et moi dans le placard l'autre soir : juste accidentel. La seule différence, c'est que je suis folle amoureuse d'Arthur, alors que Billy et Sandie ont carrément du mal à se supporter.

— Oooh, a gémi la mère de Sandie.

— Maman ? a appelé Sandie, paniquée.

— Ce n'est rien, une douleur dans le dos, l'a rassurée sa mère, mais c'est normal avec le poids de mon ventre.

Elle a posé sur le bureau de Sandie – dans un mouvement assez peu gracieux – un plateau avec des verres et des biscuits et a tapoté son ventre de sa main.

— Tu es sûre ? a insisté Sandie.

— Oui, ma petite fleur, je suis sûre, et nous les mamans, on ne se trompe jamais !

Pourquoi, mais pourquoi la mère de Sandie s'entêtait-elle à lui parler comme si elle avait deux ans ?

— Merci pour les biscuits et tout ça, madame Walker, ai-je dit, essayant d'être aussi polie que possible.

(Elle disait qu'elle m'avait pardonné pour les fleurs mutantes que nous avions peintes sur les murs de la chambre de Sandie*, mais j'étais sûre qu'elle m'en voulait encore.)

— Oui, merci, madame Walker, a souri Kyra avec sa tête « je n'ai pas du tout poussé votre fille à faire un truc interdit ce soir, non, non, pas du tout ».

---

* *Voir Le monde délirant d'Ally*, tome 4 : *Copain, faux copain et secrets très secrets.*

– Merci, madame Walker, a marmonné Billy en rougissant légèrement, les yeux fixés sur le parquet.

Tout ça parce que le gigantesque ventre de Mme Walker était à environ deux millimètres du bout de son nez.

– Alors, vous vous êtes bien amusés chez Kellie ? a demandé Mme Walker en frottant son ventre du plat de la main.

Nous lui avons jeté un regard d'incompréhension (du moins Billy a jeté un regard d'incompréhension au parquet) avant de nous souvenir que Sandie avait dit à sa mère que nous étions tous chez Kellie.

– Euh… Kellie n'était pas très en forme, ai-je menti en sentant ce tic familier qui m'agite le coin de la bouche chaque fois que je raconte des bobards.

– Oh, pauvre Kellie ! a soupiré Mme Walker, compatissante (ce qui m'a fait me sentir encore plus mal). Vous savez, vous n'êtes pas obligés de rester là… Le papa de Sandie n'est pas à la maison, venez me tenir compagnie au salon.

– Euh… non merci, Maman, a dit Sandie, un peu gênée, on va écouter des CD.

– Parfait, a pépié Mme Walker en sortant de la chambre. Ne veillez pas trop tard, ma chérie, je sais que nous sommes samedi soir, mais je suis sûre que tes amis ont autant besoin de sommeil que toi…

Cépavrai. Elle ne pouvait pas s'empêcher de dire ce genre de trucs, comme si on en était encore à l'âge de regarder *Bonne nuit les petits* et de mettre des pyjamas « la petite sirène ». (Quoique… Sandie a un pyjama « la petite sirène » !)

— Oh, elle est tellement embarrassante ! a soupiré Sandie dès que la porte a été fermée.

— Elle est sympa, l'a rassurée Billy, très délicatement (pour une fois !).

— Hé, Billy, elle est partie ! lui ai-je fait remarquer. Tu peux arrêter de regarder le parquet, maintenant.

Toujours un peu rouge, Billy a redressé la tête et a immédiatement souri en voyant la montagne de petits gâteaux que nous avait apportée la mère de Sandie.

— C'est pour quand, le bébé ? a demandé Kyra en mordant dans un biscuit dont la crème a débordé.

Je ne sais pas si c'est d'imaginer la mère de Sandie en train d'accoucher ou la vision de la crème du gâteau, mais Billy a rougi de nouveau.

Sandie a haussé les épaules.

— Encore quelques semaines. Mais j'ai toujours l'impression que c'est pour demain, à la manière dont mon père en parle. En ce moment, il est à une conférence dans le Yorkshire, mais on aurait dit qu'il partait pour Mars et qu'il lui faudrait plusieurs mois pour revenir si Maman sentait que le bébé était sur le point d'arriver.

Billy avait la tête tellement penchée que je ne pouvais même plus distinguer son nez.

– Ah ouais, ton père est parti pour le travail, a dit Kyra en croisant ses longues jambes minces. Le mien aussi, mais ma mère l'a accompagné…

Billy a redressé la tête en entendant le long hululement qui venait du salon.

– Un fantôme ? s'est étranglée Sandie en portant ses mains à son visage.

– Je crois que c'est ta mère, Sand', ai-je répondu, pratiquement sûre que ce bruit était humain.

En un bond, nous nous sommes précipités dans le couloir et là, par terre, dans l'encadrement de la porte du salon, nous avons vu la mère de Sandie gémissant en tenant son ventre.

– Cépavrai, a paniqué Sandie.

– Euh… est-ce que le bébé arrive, madame Walker ? ai-je demandé nerveusement en essayant de me rappeler des épisodes d'*Urgences*.

– OUIIIII ! a aboyé Mme Walker.

Je n'avais jamais entendu la si mesurée Mme Walker parler ainsi.

– Cépavrai ! a répété Sandie.

– Cépavrai ! a crié Kyra en plaquant la main sur sa bouche.

– Tout va bien, tout va très bien se passer, a soudain annoncé Billy. Euh… que quelqu'un aille chercher un oreiller pour sa tête et, euh… il faut aussi prendre des serviettes pour, euh… lui mettre, enfin, euh… de l'autre côté. Moi, j'appelle une ambulance.

Billy a immédiatement composé le numéro des pompiers. Kyra, Sandie et moi nous sommes regardées stupidement pendant une seconde, honteuses de notre débilité devant l'événement et super impressionnées par la présence d'esprit de Billy. Vous comprenez, il n'est resté chez les scouts que deux semaines (si je me rappelle bien, il s'est fait virer pour avoir fait un nœud qui avait une forme grossière), mais il avait quand même dû obtenir son badge de secouriste !

— J'ai l'oreiller et les serviettes, a dit Sandie.

— Madame Walker, l'infirmière me dit que vous devez compter entre les contractions pour savoir quelle fréquence elles ont… a crié Billy.

— Elles sont rapides ! a hurlé Mme Walker.

— Je regarde sur l'horloge, elle a une trotteuse, a déclaré Kyra en se tournant vers la cheminée.

— Euh… madame Walker, l'infirmière dit que nous devrions compter en attendant l'ambulance, et que vous devriez faire la respiration que vous avez dû apprendre…

Sandie a glissé un oreiller sous la nuque de sa mère, qui a commencé à haleter comme les femmes qui accouchent dans *Urgences*.

Ouaouh ! Billy !

— Ça y est, elle le fait, a dit Billy au téléphone, puis il s'est retourné vers Mme Walker. Euh… c'est très bien, madame Walker, c'est très bien. L'ambulance arrive. Elle sera là très vite.

– AAAAAAAAHHHHH ! a hurlé Mme Walker, nous faisant tous sursauter.

– Tout va bien, ai-je essayé de la rassurer, ne sachant pas quoi dire d'autre.

Enfin, je savais quoi dire d'autre mais « S'il vous plaît, je peux rentrer à la maison, pasque j'ai encore plus peur que dans le bois tout à l'heure » ne serait sans doute pas d'une grande utilité à la mère de Sandie.

Aussi nulle qu'ait été ma remarque, elle a fait effet : Mme Walker m'a pris la main et me l'a serrée si fort que j'ai cru qu'elle allait me la broyer.

– Tu es fantastique, ai-je entendu Sandie murmurer au-dessus de moi.

J'ai levé la tête et je me suis aperçue qu'elle s'adressait à Billy.

– T'en fais pas, c'est normal, a répondu Billy. Euh... Sandie, c'est quoi, là, par terre ?

Sur le sol s'étalait une flaque d'un liquide trouble.

– Elle a perdu les eaux ! s'est exclamée Kyra, comme une infirmière dans une émission médicale.

Elle devait regarder les mêmes feuilletons que moi.

Billy avait été d'un courage admirable jusqu'à présent. Mais se rendre compte que la flaque avait quelque chose à voir avec le ventre de Mme Walker a été trop pour lui.

— Billy ! a crié Sandie en le voyant s'évanouir sans lâcher le combiné du téléphone. Billy, s'il te plaît, Billy, réveille-toi, s'il te plaît...

Cette soirée devenait de plus en plus bizarre. Kyra m'a regardée par-dessus le ventre de Mme Walker, aussi stupéfaite que moi de voir Sandie prendre la tête de Billy sur ses genoux, alternant chacun de ses « s'il te plaît » avec un baiser sur son front.

Rien n'aurait pu être plus BIZARRE que ça !!!!!

CHAPITRE 20

WAOUH ! WAOUH ! WAOUH PUISSANCE DIX !

Nous étions dimanche soir ; la petite sœur de Sandie avait presque un jour.

— Elle est mignonne ? ai-je demandé à Sandie au téléphone.

— Euh… oui, a-t-elle répondu d'une voix hésitante. Enfin, elle ressemble à un petit pruneau tout fripé.

Normal. Comme tous les bébés, non ? J'étais en tout cas bien contente que Kyra, Billy, Sandie et moi n'ayons pas été obligés d'assister en direct à la venue de ce petit pruneau dans notre monde. L'ambulance est arrivée juste à temps. Les infirmiers ont installé Mme Walker et son gros ventre dans le véhicule (avec Sandie) et l'ont emmenée à l'hôpital environ deux minutes après l'évanouissement de Billy.

Il était revenu à lui tout seul, sans avoir besoin d'oxygène ou de sels… les baisers sur le front de Sandie semblaient avoir suffi.

Ce qui m'amène à la question que je brûlais de poser :

– Euh… Sandie…

– Oui ?

– Vous en êtes où exactement, toi et Billy ?

– Euh… je ne peux pas vraiment te répondre… a-t-elle murmuré.

Normal. Son père – qui était rentré du Yorkshire en catastrophe dans la nuit – devait traîner pas loin.

– … Billy est avec moi, a-t-elle terminé.

Billy était à l'hôpital ? Mes deux meilleurs amis étaient en train de roucouler au-dessus du berceau du bébé ? Billy jouait encore les héros et allait chercher des cafés pour Sandie et son père ? Mais dans quel monde on vit, là ?

– Bon, d'accord, alors réponds juste par oui ou non, ai-je proposé.

Au-dessus de moi, Rowan a dévalé l'escalier en criant quelque chose à propos de frottements ou je ne sais quoi et a disparu dans le salon.

– Est-ce que vous, hum, sortez ensemble Billy et toi ? ai-je repris.

– Euh… je crois que oui, a ri Sandie.

Waouh !

Waouh ! Waouh ! Waouh !

Je ne savais pas quoi dire, alors j'ai changé de sujet.

– Et la punition de Billy ?

Ça m'avait fait tellement bizarre de ne pas le trouver, ce matin, en arrivant à notre banc avec les chiens ! (Kyra, pendant ce temps-là, dans ma chambre, écoutait mes CD à fond en attendant impatiemment que je lui ramène les nouvelles.)

– Ses parents sont très fiers de l'aide qu'il a apportée à ma mère…

Je pouvais presque entendre Sandie sourire au téléphone.

– … Ils ne l'ont même pas disputé pour être sorti hier soir et ils l'ont laissé venir aujourd'hui. D'ailleurs, ses parents sont venus aussi, ils discutent avec Papa en ce moment.

Cépavrai. J'étais entrée dans la quatrième dimension. Mes deux meilleurs amis sortaient ensemble alors qu'ils ne pouvaient pas se supporter et discutaient autour de la machine à café en compagnie de leurs parents respectifs. Rowan m'avait dit ce matin que « la frontière est très mince entre la haine et l'amour ». Sur le moment, ça m'avait paru très poétique et profond, jusqu'à ce qu'elle m'annonce que c'était le refrain d'une vieille chanson dont elle n'arrivait pas à se rappeler le titre. Et encore moins qui la chantait. Mais Rowan avait ajouté qu'elle avait vu ce genre de trucs des MIL-LIERS de fois : des gens qui donnent l'impression de ne pas s'aimer cachent souvent leur attirance mutuelle. C'est apparemment ce qui était arrivé à Billy et à Sandie. Peut-être que je devrais faire un effort pour me disputer avec Arthur, peut-être que je devrais essayer de le détester !

Mon cerveau était en train de se liquéfier devant tous ces trucs bizarres.

– Faut que j'y aille, a annoncé Sandie au moment où j'allais lui dire la même chose.

Un truc étrange se déroulait chez moi : Papa montait les marches en courant, Rowan sur les talons.

– Le bruit recommence, Ally, m'a prévenue Rowan par-dessus la rampe.

Oh-oh.

Grand-Mère avait raison : tout événement irrationnel a une explication rationnelle.

Le bruit que Rowan avait entendu au premier étage ? Une vieille cassette accrochée par sa bande à moitié dévidée à la poignée de ma fenêtre, au deuxième. Kyra l'avait balancée jusqu'à ce qu'elle tape contre la vitre.

Et nous avons ensuite découvert beaucoup plus.

– Le tableau de Maman à l'envers ? avait demandé Rowan à Kyra.

Papa, Linn, Ro et moi avions organisé un pow-wow autour de la table de la cuisine.

– C'est moi aussi, a avoué Kyra, le menton contre la poitrine. J'ai pensé que… que ce serait drôle. Vous n'arrêtiez pas de parler de fantômes et tout…

– Les boîtes de conserve ? me suis-je renseignée.

Kyra a acquiescé.

Bien sûr. La semaine dernière, Kyra nous avait entendus délirer sur les frottements et les bruits (dus à Tarzan la gerboise).

– Et c'est toi qui as mis mes clés dans le congélateur ? a voulu savoir Rowan.

– Hmm, a reconnu Kyra.

– Attends, c'est toi aussi qui as enveloppé Winslet dans du Sopalin ? ai-je lancé, me rappelant l'incident qui avait tant effrayé Sandie.

Kyra a acquiescé de nouveau. Elle a mollement tenté de se défendre.

– C'était juste pour rire.

Linn a écarquillé les yeux :

– Et le lait vert, c'était toi aussi ?

– C'était du colorant. Il était tout parti dans le fond du carton, alors quand vous l'avez déplacé…

Kyra n'a pas terminé son explication, mais je ne pouvais pas oublier ces longues coulées de lait vert qui gouttaient du fond du carton mercredi dernier.

Je me rappelais aussi la recette de sorcellerie accrochée dans la cuisine, jeudi soir.

– Et c'est aussi toi qui as punaisé le… le truc sur le tableau.

Kyra a haussé les épaules dans un geste d'excuse. Elle se rendait compte que sa « blague » était allée trop loin.

Papa a froncé les sourcils.

– Kyra, je n'ai qu'une chose à dire…

Kyra a pâli.

– … Bravo, tu nous as bien eus.

Kyra s'est soudain détendue et a souri.

– Mais s'il te plaît, ne recommence jamais ça ! Tu promets ? a demandé gentiment Papa en tendant la main.

– Promis, a répondu Kyra en lui serrant la main.

– Je vais mettre de l'eau à bouillir, a soupiré Linn devant le manque de sévérité de Papa.

– Tu peux m'expliquer comment marche le colorant que tu as utilisé ? s'est empressée de demander Rowan à une Kyra soulagée.

La curiosité de ma sœur lui faisait oublier tout ce que nous avions vécu ces derniers jours.

Et moi ? Tout était tellement bizarre que plus rien ne me surprenait.

C'est vrai, quoi ! Qui a le temps de s'occuper de fantômes, esprits frappeurs ou autre quand ses deux meilleurs amis sortent ensemble ?

Ally

P.-S. : Linn n'a pas adressé la parole à Kyra pendant une semaine entière. Elle était en colère car mon amie avait « traumatisé Tor à vie ». Elle a laissé tomber quand elle a surpris Tor en train d'expliquer à sa tortue Spartacus qu'il ne devait jamais avoir peur des fantômes parce qu'ils n'existent pas. Linn s'est sentie soulagée et Spartacus aussi, je pense.

P.-P.-S. : Tor n'a peut-être pas été traumatisé à vie mais Amir, peut-être. Il est toujours le meilleur copain de Tor à l'atelier d'été (Tor lui apprend à parler notre langue, mais comme il ne parle quasiment jamais, Amir commencera sans doute à connaître les premiers rudiments à l'âge de quarante-cinq ans) ; malgré tout, il a refusé de remettre les pieds à la maison. Du moins tant que Rowan la bizarre y habiterait avec nous.

TABLE DES MATIÈRES

Achevé d'imprimer
par Novoprint en Espagne
Dépôt légal : 2e trimestre 2004